mon premier Mémo

MÉMO

POUSSIN

ENCYCLOPÉDIE VISUELLE LAROUSSE

mon premier Mémo

sous la direction de
Martine et Daniel Sassier
Viviane Kœnig

conception graphique
Gérard Finel

17, RUE DU MONTPARNASSE 75298 PARIS CEDEX 06

mon premier Mémo
un monde en images

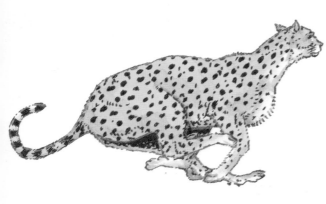

© Larousse, 1992, pour l'édition originale.
© Larousse, 1993, pour la présente édition.
Toute reproduction, par quelque procédé que ce soit, de la nomenclature contenue dans le présent ouvrage et qui est la propriété de l'Éditeur est strictement interdite.

Distributeur exclusif au Canada : les Éditions Françaises Inc.

ISBN : 2.03.601214.0

La longue histoire des hommes

Les peuples de la Terre

Nous savons tout faire

En avant !

Les distractions ne manquent pas

Tout petit dans un Univers gigantesque

Dans le ciel immense, des milliers d'astres se déplacent : Soleil, Terre, Lune, planètes, étoiles... Nous sommes minuscules dans un Univers gigantesque. Même notre Terre, qui nous paraît pourtant grande, n'est pas une très grosse planète. Compare sa taille avec celle de Jupiter ou de Saturne.

Mais cette planète est formidable. Elle tourne autour de son étoile, le Soleil. Si elle était plus loin de lui, elle serait très froide, comme Pluton. Si elle était plus près, elle serait très chaude, comme Mercure.

Nous sommes juste à la bonne distance pour que la vie puisse se développer, dans la chaleur du Soleil.

Pendant le jour, la fleur de tournesol se tourne vers le Soleil.

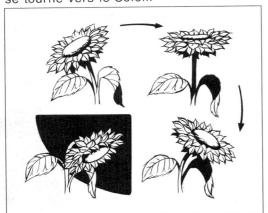

Les étoiles sont des soleils si lointains qu'elles nous apparaissent comme des points.

La Terre a tourné. Le matin, l'étoile la plus proche nous éclaire : c'est le Soleil.
Les étoiles sont des boules de gaz énormes qui créent leur propre lumière.

Le bord du Soleil. Il y fait très chaud : plus de 5 000 °C.

Soleil

Le Soleil est si gros par rapport aux planètes que nous n'avons pas pu le dessiner en entier sur cette page.

Le Soleil est aussi très lourd, bien plus lourd que toutes les planètes réunies. Elles tournent autour de lui comme si elles faisaient des rondes, chacune la sienne.

Les plus petites planètes — Mercure, Vénus, Mars, Pluton — ont une surface solide, comme la Terre.

Les plus grosses — Jupiter, Saturne, Uranus, Neptune — sont des boules de gaz géantes. Un vaisseau spatial ne pourrait pas se poser à leur surface.

Mercure

Vénus

la Terre

Mars

Les planètes ne brûlent pas. Elles tournent autour d'une étoile qui les éclaire et les réchauffe.

Jupiter

Certaines planètes sont entourées d'anneaux. Les plus beaux sont ceux de Saturne. Ils sont faits d'innombrables petits blocs de glace qui tournent autour de leur planète.

Saturne

Uranus

Neptune

Pluton

Neuf planètes principales tournent autour du Soleil, leur étoile.

Des milliers d'« astéroïdes », trop petits pour être dessinés ici, tournent aussi autour du Soleil. Ce sont des planètes minuscules.

Voyage dans l'espace

Aujourd'hui, de nombreux instruments observent le ciel, les planètes, les étoiles...

Depuis la Terre, nous utilisons des lunettes, des télescopes et des radiotélescopes. Nous voyons les reliefs de la Lune comme si nous y étions, nous découvrons de nouvelles étoiles, et des galaxies, des familles qui rassemblent des millions d'étoiles.

Mais l'air, comme un léger brouillard, et les nuages qui nous entourent troublent notre vue. Alors, nous envoyons des engins loin de la Terre, pour encore mieux connaître le ciel.

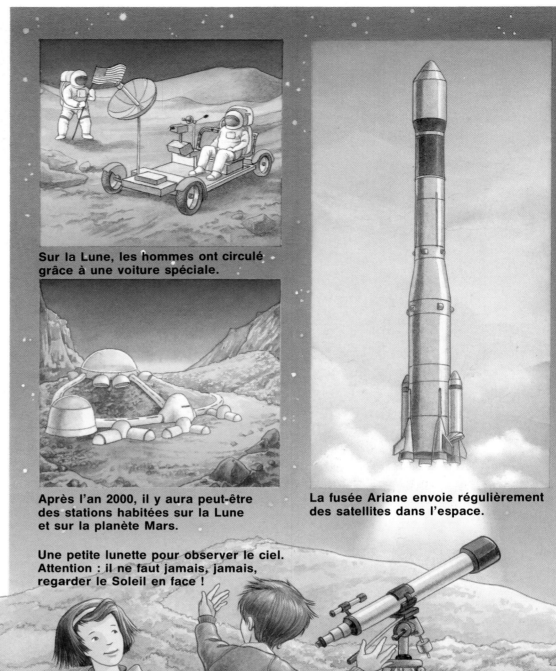

Sur la Lune, les hommes ont circulé grâce à une voiture spéciale.

Après l'an 2000, il y aura peut-être des stations habitées sur la Lune et sur la planète Mars.

La fusée Ariane envoie régulièrement des satellites dans l'espace.

Une petite lunette pour observer le ciel. Attention : il ne faut jamais, jamais, regarder le Soleil en face !

Découvrira-t-on un jour des extraterrestres ? À quoi ressembleront-ils ?

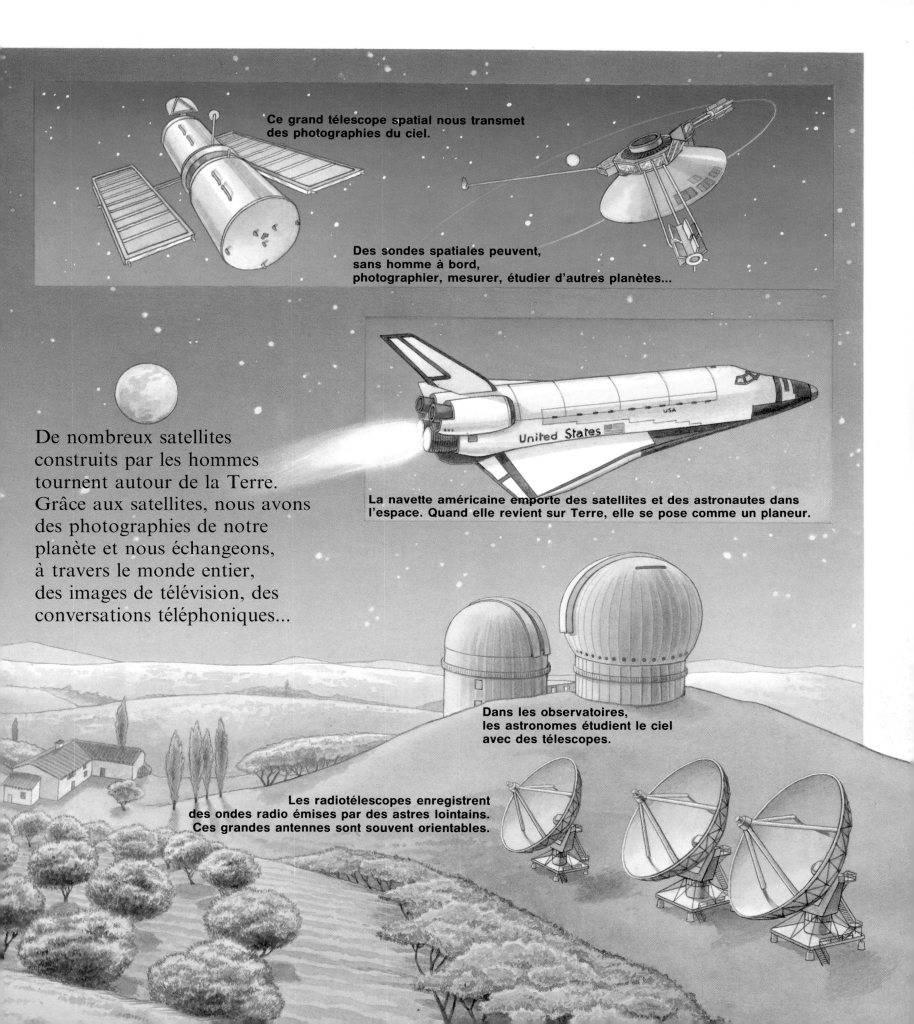

Ce grand télescope spatial nous transmet des photographies du ciel.

Des sondes spatiales peuvent, sans homme à bord, photographier, mesurer, étudier d'autres planètes...

De nombreux satellites construits par les hommes tournent autour de la Terre. Grâce aux satellites, nous avons des photographies de notre planète et nous échangeons, à travers le monde entier, des images de télévision, des conversations téléphoniques...

La navette américaine emporte des satellites et des astronautes dans l'espace. Quand elle revient sur Terre, elle se pose comme un planeur.

Dans les observatoires, les astronomes étudient le ciel avec des télescopes.

Les radiotélescopes enregistrent des ondes radio émises par des astres lointains. Ces grandes antennes sont souvent orientables.

La Terre et la Lune

La Terre est ronde comme une boule : pour en faire un tour complet, il faut parcourir environ 40 000 km. Vue depuis l'espace, elle a de belles couleurs. Les continents se détachent sur le bleu des mers et des océans. De très grands tourbillons de nuages se promènent sans cesse dans l'air.

Notre planète est exceptionnelle. D'abord parce qu'elle est entourée d'air. Cette atmosphère ressemble à une couette qui nous protège des rayons dangereux du Soleil ; elle nous permet aussi de respirer. Ensuite, la Terre est la seule planète où l'on trouve de l'eau liquide. Enfin, grâce justement à l'eau et à l'air, la vie a pu se développer, de la plus petite des algues jusqu'aux poissons, des grands arbres des forêts jusqu'aux insectes les plus minuscules. Aucun être vivant n'existe sur les autres planètes qui tournent autour du Soleil. La Lune elle-même est un monde mort.

Finalement, la Terre est un magnifique vaisseau spatial, qui appartient à tous ses habitants. Nous devons en prendre grand soin.

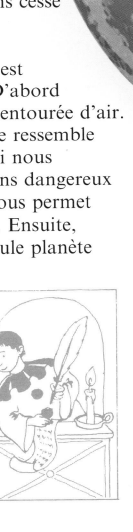

Au clair de la Lune mon ami Pierrot

8

La Lune brille dans le ciel,
car elle est éclairée par le Soleil.
Elle n'a pas d'atmosphère.
C'est un désert brûlant ou glacé.

Lune

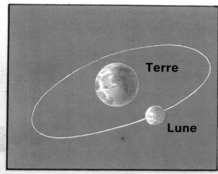

La Lune tourne autour de la Terre
en un peu plus de 27 jours.
C'est son satellite naturel.

400 000 km environ
séparent la Lune grise
de la Terre bleutée.

rayons du Soleil

La Terre tourne autour du Soleil
en 365 jours un quart (une année).
Dans nos pays, nous connaissons
quatre saisons bien marquées.

Printemps

Les jours rallongent.
Le Soleil monte de plus en plus haut dans le ciel.
Il fait plus doux. La nature revit.

Été

Le Soleil monte haut dans le ciel.
Ses rayons frappent fort.
Il fait chaud.
Les jours sont longs.

Hiver

Même à midi,
le Soleil n'est pas très haut dans le ciel.
Il nous réchauffe moins. Le froid s'installe.
Parfois, il neige. Les jours sont courts.

Automne

Le Soleil est de moins en moins haut.
Il fait plus frais. De nombreuses plantes
perdent leurs feuilles. Les jours raccourcissent.

Une boule et une toupie

La Terre tourne autour du Soleil, et elle joue aussi à la toupie : elle tourne sur elle-même en presque 24 heures (une journée). Quand le pays où nous vivons est face au Soleil, il fait jour.

Au même moment, de l'autre côté de la Terre, c'est la nuit. Le soir, l'endroit où nous sommes a tourné, nous ne voyons plus le Soleil : il fait nuit...

La Terre est très lourde. C'est pour cela qu'elle nous attire, qu'elle nous retient à sa surface, comme elle retient l'air et l'eau des rivières et des mers.

Sur la Lune, nous sommes six fois plus légers. C'est pratique pour sauter très haut !

Sur la plage, avec la mer à l'horizon, la Terre paraît plate comme une assiette.

En avion, à 10 000 m de hauteur, nous commençons à découvrir la courbure de la Terre.

La fusée quitte la Terre qui l'attire. Notre planète apparaît de plus en plus ronde.

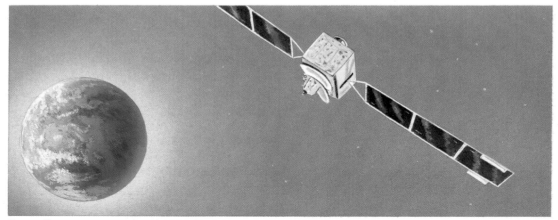

Dans l'espace, un satellite tourne autour de la Terre qui apparaît vraiment ronde.

La Terre tourne sur elle-même autour d'un axe imaginaire qui va du pôle Nord au pôle Sud. Tout au long de l'année, cet axe garde la même inclinaison pendant que la Terre tourne autour du Soleil.

Quand le pôle Nord est penché vers le Soleil, comme sur ce dessin, nos pays sont bien réchauffés : c'est l'été. Le pôle Sud est dans l'obscurité. Six mois plus tard, la Terre aura accompli la moitié de sa ronde. C'est le pôle Sud qui sera alors éclairé par le Soleil. Nous serons, nous, en hiver, et le pôle Nord dans l'obscurité.

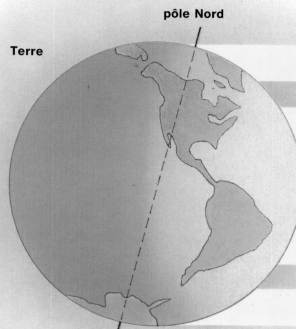

pôle Nord

Terre

Si notre planète ne tournait pas sur elle-même, la moitié éclairée serait brûlée et la moitié dans l'ombre serait toujours glacée. Mais, comme la Terre fait un tour complet en 24 heures environ, toutes ses régions connaissent à tour de rôle le jour et la nuit.

rayons du Soleil

pôle Sud

Si l'on pouvait couper la Terre en deux, comme un fruit, on découvrirait d'abord une mince croûte : celle des continents où nous vivons et celle des océans. Ensuite, on trouverait un très large manteau, et enfin un noyau métallique dont le cœur est liquide. La température de ce noyau est d'environ 5 000 °C. Du centre du noyau jusqu'à la croûte, la Terre mesure environ 6 350 km.

Les mineurs creusent la croûte de la Terre pour trouver du fer, du charbon, de l'or... Mais ils ne descendent pas très profondément dans le sous-sol, car il y fait de plus en plus chaud.

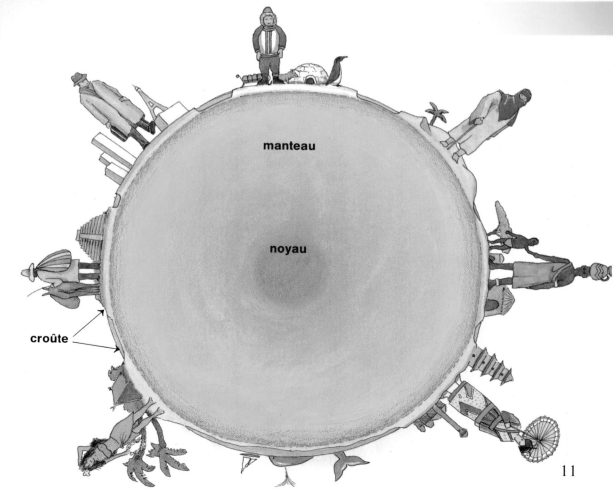

manteau

noyau

croûte

11

Le vent, c'est de l'air en mouvement. Et quelle force, parfois ! L'air gonfle la voile des bateaux, emporte le cerf-volant.

Voyage dans l'air et les nuages

Comme l'air est transparent, et que nous y sommes habitués depuis notre naissance, nous ne le sentons pas. Pourtant, il pèse lourd sur nos épaules... Quand le vent se met à souffler, nous nous apercevons vraiment que l'air existe, et qu'il a même une très grande force.

Les étoiles filantes sont des cailloux venus de l'espace qui brûlent en traversant l'atmosphère.

Nous appelons atmosphère l'air qui enveloppe la Terre. L'atmosphère monte à plusieurs centaines de kilomètres au-dessus de nos têtes. Mais elle est surtout tassée dans les 10 premiers kilomètres au-dessus du sol.

Les êtres vivants respirent l'oxygène de l'air... ou de l'eau. L'oxygène est un gaz indispensable à la vie.

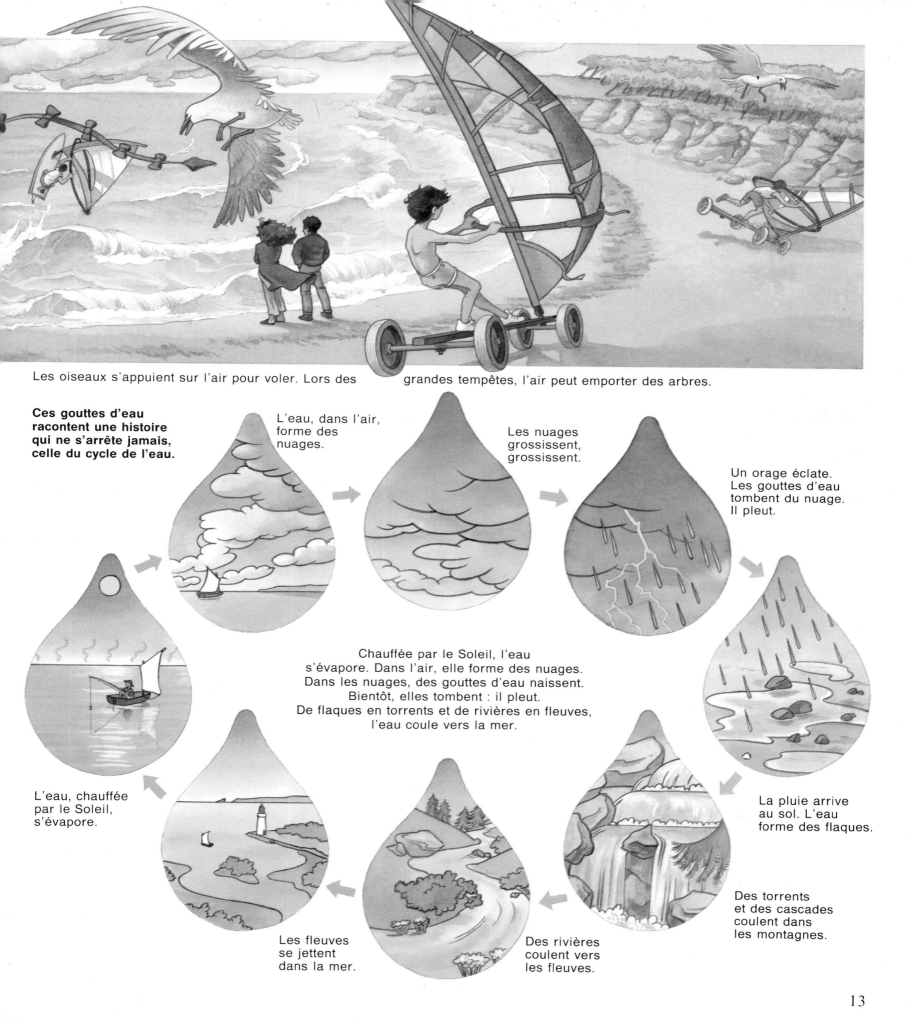

Les oiseaux s'appuient sur l'air pour voler. Lors des grandes tempêtes, l'air peut emporter des arbres.

Ces gouttes d'eau racontent une histoire qui ne s'arrête jamais, celle du cycle de l'eau.

L'eau, dans l'air, forme des nuages.

Les nuages grossissent, grossissent.

Un orage éclate. Les gouttes d'eau tombent du nuage. Il pleut.

Chauffée par le Soleil, l'eau s'évapore. Dans l'air, elle forme des nuages. Dans les nuages, des gouttes d'eau naissent. Bientôt, elles tombent : il pleut. De flaques en torrents et de rivières en fleuves, l'eau coule vers la mer.

La pluie arrive au sol. L'eau forme des flaques.

L'eau, chauffée par le Soleil, s'évapore.

Les fleuves se jettent dans la mer.

Des rivières coulent vers les fleuves.

Des torrents et des cascades coulent dans les montagnes.

13

Des creux, des bosses et beaucoup d'eau

Sur la Terre, les mers et les océans occupent deux fois plus de place que les continents. Les six continents sont l'Asie, l'Amérique, l'Afrique, l'Europe, l'Océanie et l'Antarctique, un grand désert de glace autour du pôle Sud. Au pôle Nord, il n'y a pas de terre, mais un océan : l'océan glacial Arctique.

Notre planète est très diverse. La Terre présente mille visages, avec ses plaines, ses plateaux, ses montagnes, ses déserts, ses volcans, ses forêts.

Sous la mer aussi, les paysages changent. On y trouve des fosses très profondes et très sombres.

Les sommets du monde

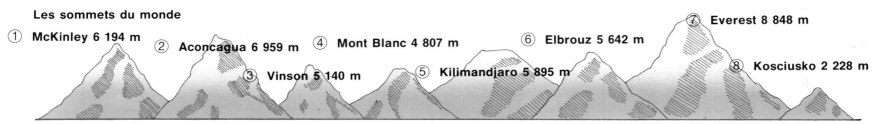

① McKinley 6 194 m ② Aconcagua 6 959 m ③ Vinson 5 140 m ④ Mont Blanc 4 807 m ⑤ Kilimandjaro 5 895 m ⑥ Elbrouz 5 642 m ⑦ Everest 8 848 m ⑧ Kosciusko 2 228 m

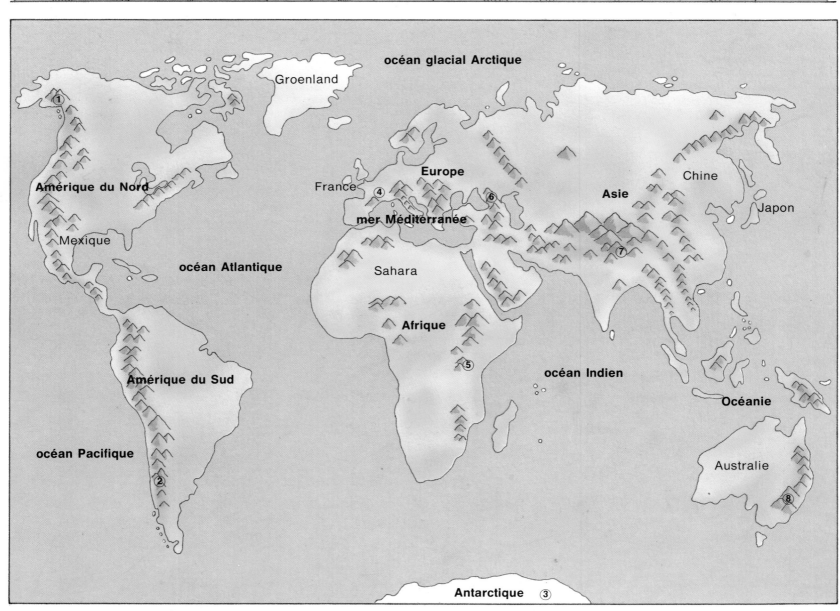

La Terre aurait pu s'appeler la « planète Mer » ! La France est petite sur la carte du monde.

Une ferme de montagne en Europe.

Une rivière en Europe.

Une route en Amérique du Sud.

Manchots dans l'Antarctique.

Dauphin et poissons en Méditerranée.

Zèbres dans la savane d'Afrique.

Dans la grande forêt d'Amérique du Sud.

Le désert du Sahara, en Afrique.

Une grotte en Chine, en Asie.

Un port de plaisance en Océanie.

Le désert mexicain, en Amérique.

Une montagne du Japon, en Asie.

15

Du brin d'herbe aux arbres géants

Sans l'eau, sans l'air et... sans les plantes, la vie sur Terre serait impossible, car ce sont les plantes qui rejettent dans l'atmosphère l'oxygène, le gaz que nous respirons.

Les premières plantes sont apparues dans l'eau, il y a très, très longtemps. Depuis, elles se sont répandues partout, parfois même dans les déserts chauds ou les régions très froides. Des mousses aux arbres, nous connaissons environ 400 000 plantes différentes, et il y en a en fait

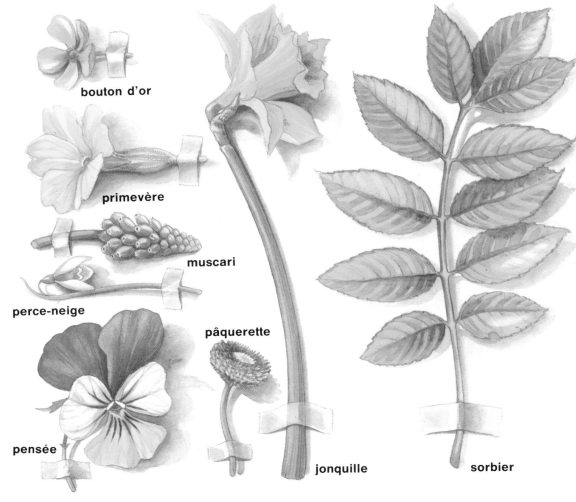

bouton d'or

primevère

muscari

perce-neige

pâquerette

pensée

jonquille

sorbier

Le nénuphar est une plante aquatique. Sa tige s'accroche au fond de l'eau.

Le coquelicot pousse dans les champs.

La lavande aime le soleil. Elle sent très bon.

Les champignons aiment l'ombre.

L'edelweiss est une plante de montagne.

Les cactus sont adaptés à la sécheresse.

chêne

eucalyptus

marronnier

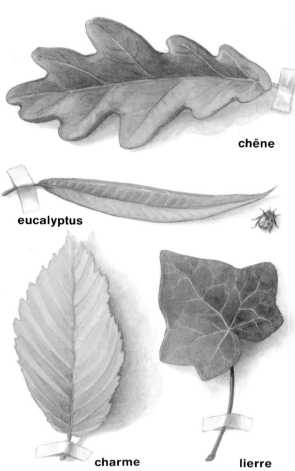

charme

lierre

beaucoup plus ! Certaines n'ont ni fleurs ni graines, comme les algues. D'autres ont des graines et, le plus souvent, des fleurs. La plupart des plantes vivent accrochées : elles ont des racines plus ou moins importantes.

Parmi les arbres, sais-tu reconnaître les résineux des feuillus ? Les premiers ont des feuilles étroites, en aiguilles ou en écailles, toujours vertes. Les feuillus, eux, ont des feuilles plates, qu'ils perdent à l'automne.

Les résineux perdent aussi leurs feuilles, mais elles ne tombent pas toutes ensemble.

L'épicéa est un résineux.

Les orchidées s'accrochent sur d'autres plantes sans les gêner.

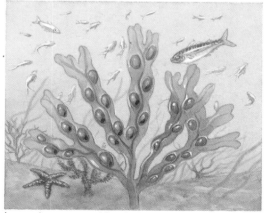

Les algues se développent sous l'eau.

Le peuplier est un feuillu.

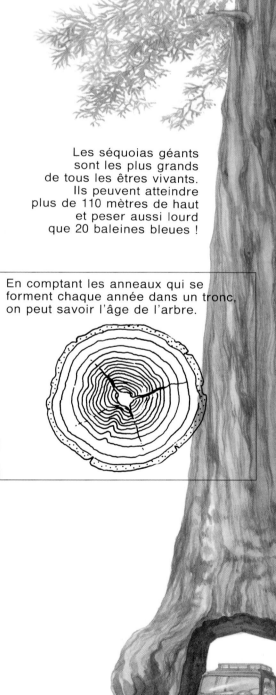

Les séquoias géants sont les plus grands de tous les êtres vivants. Ils peuvent atteindre plus de 110 mètres de haut et peser aussi lourd que 20 baleines bleues !

En comptant les anneaux qui se forment chaque année dans un tronc, on peut savoir l'âge de l'arbre.

Comment poussent les plantes à fleurs?

Pour pousser, les plantes ont avant tout besoin de soleil et d'eau. Grâce à la lumière du Soleil, elles fabriquent en effet toutes seules leur nourriture. L'eau leur apporte aussi des éléments indispensables à leur croissance ; les racines, par exemple, les puisent dans la terre.

Pour se reproduire, les plantes à fleurs disposent de divers moyens. Chacune est unique et possède son propre système, parfois très malin. Mais toujours la fleur devient fruit, le fruit contient une ou plusieurs graines, la graine donne naissance à de nouvelles plantes... Et la vie continue.

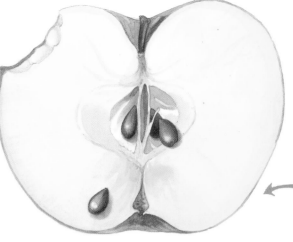

Les pépins de la pomme peuvent donner naissance à des pommiers. Ce sont des graines.

Sous un chaud soleil d'été, les pommes grossissent. Bientôt, elles seront mûres.

Les graines utilisent de nombreuses astuces avant de trouver un endroit où germer : emportées par le vent, « semées » par un oiseau, accrochées aux poils d'un animal, entraînées par la pluie...

En croquant une pomme, tu as fait tomber un pépin sur le sol. Deviendra-t-il pommier ? Peut-être... Après ce premier et unique voyage, le pépin-graine, recouvert d'un peu de terre, germe, absorbe de l'eau, gonfle.

Certaines graines poussent facilement sur du coton arrosé d'eau. Tu peux essayer avec des lentilles ou des haricots.

Le pépin germe. → La racine pousse. La tige apparaît.

Au printemps, les insectes vont d'une fleur à l'autre.

Son enveloppe protectrice se fendille,
une minuscule racine apparaît,
s'enfonce dans le sol,
s'allonge, se développe.
À ce moment-là, une tige sort de terre
et grandit vite. Voici les premières
feuilles, les premières fleurs.

Il faut de nombreuses années
pour qu'un pépin devienne pommier !
La sève monte dans la plante, des racines
jusqu'aux feuilles, et y apporte de l'eau
et les éléments nutritifs puisés
dans la terre.
Elle transporte aussi partout les « sucres »
et les « huiles » fabriqués dans les feuilles.

Il faut bien arroser
les jeunes plantes.

Les feuilles
se multiplient.

Délicieuses, utiles ou dangereuses

Nous avons besoin des plantes. Elles nous nourrissent, nous soignent, se transforment en mille objets... Nous coupons des arbres et leur bois devient planches, meubles, maisons, jouets, barques, papier... Nous cueillons du coton et du lin pour faire les tissus de nos vêtements. Nous tressons l'osier pour créer des meubles et des paniers... Les plantes décorent aussi notre maison, nous permettent d'imaginer des parcs et des jardins, et nous les offrons à ceux que nous aimons.

Des plantes permettent de fabriquer certains médicaments. D'autres donnent leur « essence », qui entre dans la composition de délicieux parfums.

Radis, carotte : tu manges des racines.

Oignon, ail : tu manges des bulbes.

Pomme de terre : tu manges des tubercules.

en chanvre

en bois

en coton

en paille

en bambou

en lin

en bois

en bois

en bois

Nous utilisons tous les jours des objets fabriqués grâce aux plantes.

asperges (Les vertes sortent de terre, les blanches sont récoltées dans le sol.)

Asperge : tu manges des tiges.

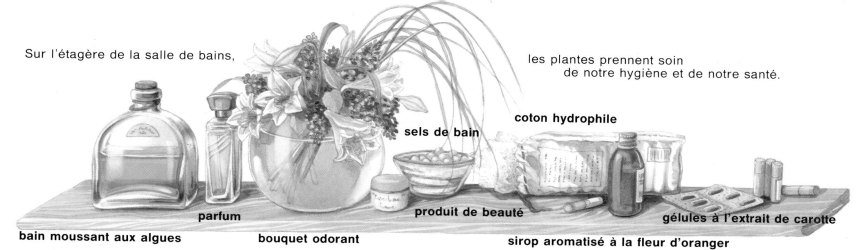

Sur l'étagère de la salle de bains, les plantes prennent soin de notre hygiène et de notre santé.

coton hydrophile

sels de bain

parfum

produit de beauté

gélules à l'extrait de carotte

bain moussant aux algues

bouquet odorant

sirop aromatisé à la fleur d'oranger

artichauts

Artichaut, chou-fleur : tu manges des fleurs.

laitue

Salade, chou : tu manges des feuilles.

tomates

Tomate, cerise, noix : tu manges des fruits.

blé

Blé, riz, maïs : tu manges des graines.

Mais, attention, tu ne dois jamais cueillir et manger une « jolie » plante parce qu'elle te plaît. Car, si les plantes sont très utiles, elles peuvent être aussi très dangereuses ; certaines contiennent du poison. Chaque année, par exemple, des gens sont malades ou même meurent après avoir mangé des champignons ou des baies qu'ils ne connaissaient pas.

Pour faire un pot-pourri, fais sécher les fleurs la tête en bas, mets les pétales dans un petit bol et ajoute quelques gouttes de parfum.

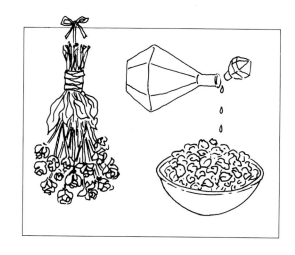

21

Les mammifères

Un squelette, des poils, un sang chaud, une mère qui allaite ses petits grâce à ses mamelles : voilà les mammifères !
Les hommes en font partie.

Pour vivre, tous les mammifères ont besoin de respirer l'oxygène de l'air. Ceux qui vivent dans la mer, comme les baleines, doivent remonter à la surface pour emplir d'air leurs poumons.

Chez les mammifères, les parents éduquent très souvent leurs petits, parfois pendant plusieurs années.

Les petits mammifères se développent dans le ventre de leur mère. Ils naissent tout formés.

La mère s'occupe de son nouveau-né. Souvent, elle le lèche.

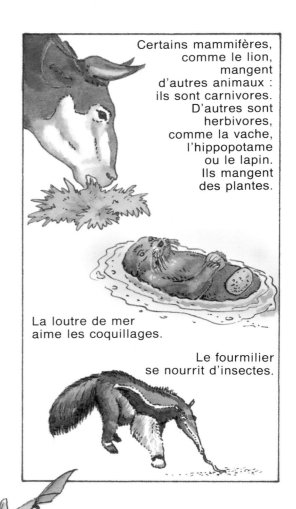

Certains mammifères, comme le lion, mangent d'autres animaux : ils sont carnivores. D'autres sont herbivores, comme la vache, l'hippopotame ou le lapin. Ils mangent des plantes.

La loutre de mer aime les coquillages.

Le fourmilier se nourrit d'insectes.

un squelette

des poils

la mère allaite ses petits

Morse

Chauve-souris

Cheval

Phoque

Hérisson

Castor

Souris

Ours blanc

Pour se déplacer, les mammifères ne manquent pas de moyens : pattes, mains, jambes, nageoires... Les chauves-souris volent même très bien.

Sauter, comme un kangourou.

Courir, comme un guépard (le plus rapide des animaux terrestres).

Grimper, comme un ouistiti.

Nager, comme un dauphin.

Marcher sur deux jambes, comme nous (seuls les hommes se déplacent ainsi).

En danger !
Il faut protéger les éléphants, les rhinocéros...

les gorilles de la grande forêt d'Afrique,

certains ours, comme ceux des Pyrénées,

les baleines, qui ont été trop chassées.

Girafe

Éléphant

Rhinocéros

Lion

Tatou

Chimpanzé

Gazelle

De la souris à l'éléphant, il existe environ 5 000 espèces de mammifères. Le plus grand de tous, qui est aussi le plus grand des animaux, est la baleine bleue.

Wombat

Les oiseaux

Un squelette, des plumes, un sang chaud, deux pattes, deux ailes, un bec : voilà les oiseaux ! Pour vivre, ils ont tous besoin de respirer l'oxygène de l'air.

La plupart des oiseaux volent. Les manchots ou les autruches, eux, en sont incapables.

Les mâchoires des oiseaux n'ont pas de dents. Un bec, souvent très dur, les recouvre.

Les oiseaux s'occupent presque toujours de leurs petits : ils les nourrissent, les protègent.

La mère oiseau pond un ou plusieurs œufs, qu'il faut presque toujours couver.

Les oisillons naissent en cassant la coquille de leur œuf.

Les parents nourrissent souvent leurs petits plusieurs fois par jour. Ils leur donnent la « becquée ».

Certains oiseaux, comme le martin-pêcheur, mangent des poissons.

Le martinet, lui, attrape des insectes en volant.

La chouette chasse la nuit des petits animaux, comme des souris ou des mulots.

La bernache, une sorte d'oie, mange des algues et d'autres plantes qui poussent dans l'eau.

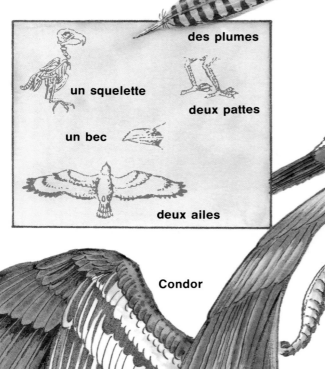

des plumes

un squelette

deux pattes

un bec

deux ailes

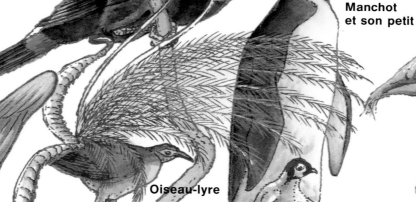

Toucan

Condor

Oiseau-lyre

Manchot et son petit

Flamant

Paon

Kiwi

Sur terre, dans l'eau et surtout dans les airs, les oiseaux se déplacent très bien !

Grimper, comme un pic.

Plonger en piqué, comme un pélican.

Voler, comme une hirondelle.

Courir, comme une autruche.

Voguer sur l'eau, comme un canard.

En danger !
Il faut protéger de nombreux oiseaux...

le gypaète barbu, exterminé par les hommes,

des perroquets, pourchassés pour leurs plumes,

des chouettes et des hiboux, accusés de porter malheur !

Goéland

Cygne

Vautour

Aigle

Frégate

Pigeon

Moineau

Casoar

Émeu
et son petit

Coq

Du moineau à l'aigle, de la poule au toucan, il existe environ 8 600 espèces d'oiseaux. Le plus gros, l'autruche, peut atteindre 150 kg. On connaît un colibri qui pèse moins de 2 grammes.

Colibri

25

Les reptiles et les amphibiens

Un squelette, un sang froid, des écailles ou une carapace, quatre pattes ou pas de pattes du tout : voilà les reptiles !

Pour vivre, les reptiles ont besoin de respirer l'oxygène de l'air. Ils recherchent aussi souvent la chaleur du Soleil pour se réchauffer. Certains reptiles, comme les serpents, muent : cela veut dire qu'ils changent de peau.

Il y a très longtemps, les reptiles ont dominé la Terre. C'était l'époque des dinosaures, aujourd'hui disparus.

Beaucoup de reptiles pondent des œufs, mais pas tous ! Le plus souvent, les petits naissent tout seuls, sans la protection des parents.

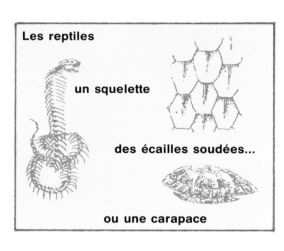

Les reptiles

un squelette

des écailles soudées...

ou une carapace

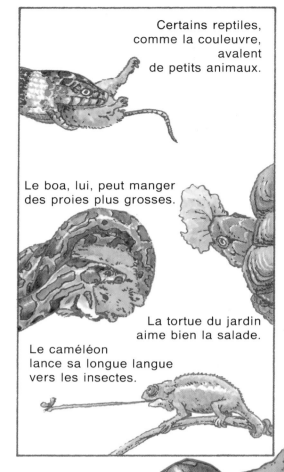

Certains reptiles, comme la couleuvre, avalent de petits animaux.

Le boa, lui, peut manger des proies plus grosses.

La tortue du jardin aime bien la salade.

Le caméléon lance sa longue langue vers les insectes.

Ils ont un squelette, une peau nue, un sang froid : voilà les amphibiens ! Ils vivent souvent près de l'eau.

Les amphibiens

Grenouille

Presque tous les amphibiens pondent leurs œufs dans l'eau. Il en sort des larves qui se transforment complètement — qui se métamorphosent — avant de devenir adultes.

œufs de grenouille

larve (têtard)

jeune grenouille

Salamandre

Crapaud

Triton

Il existe environ 4 000 espèces d'amphibiens.

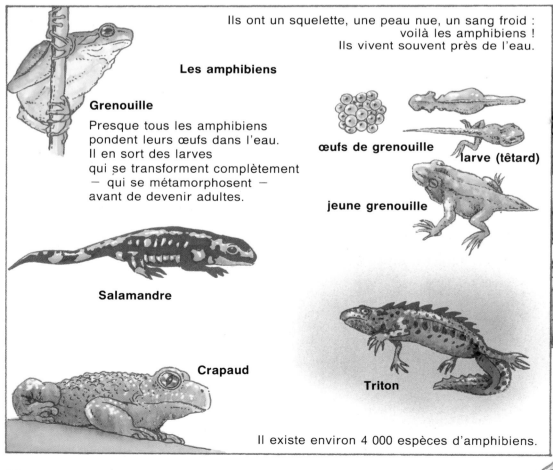

Python

Iguane

Crocodile et ses petits

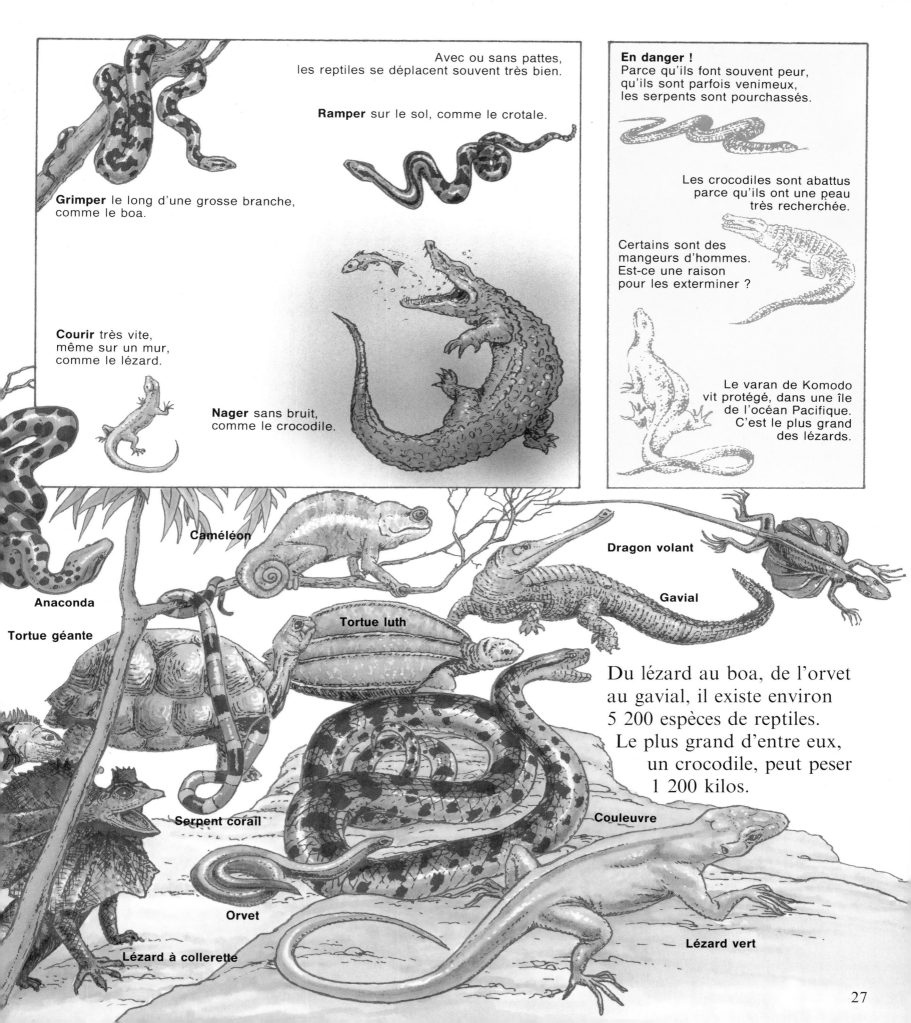

Avec ou sans pattes,
les reptiles se déplacent souvent très bien.

Ramper sur le sol, comme le crotale.

Grimper le long d'une grosse branche,
comme le boa.

Courir très vite,
même sur un mur,
comme le lézard.

Nager sans bruit,
comme le crocodile.

En danger !
Parce qu'ils font souvent peur,
qu'ils sont parfois venimeux,
les serpents sont pourchassés.

Les crocodiles sont abattus
parce qu'ils ont une peau
très recherchée.

Certains sont des
mangeurs d'hommes.
Est-ce une raison
pour les exterminer ?

Le varan de Komodo
vit protégé, dans une île
de l'océan Pacifique.
C'est le plus grand
des lézards.

Caméléon

Dragon volant

Anaconda

Gavial

Tortue géante

Tortue luth

Du lézard au boa, de l'orvet
au gavial, il existe environ
5 200 espèces de reptiles.
Le plus grand d'entre eux,
un crocodile, peut peser
1 200 kilos.

Serpent corail

Couleuvre

Orvet

Lézard à collerette

Lézard vert

27

Les poissons

Un squelette, des écailles, des nageoires, un sang froid : voilà les poissons ! Ils vivent tous dans l'eau et respirent l'oxygène qu'elle contient grâce à des branchies.

Les poissons peuplent les eaux salées des mers et des océans ou les eaux douces des rivières et des lacs, sans se mélanger. Pourtant, certains, comme les saumons et les anguilles, passent d'une eau à l'autre, après leur naissance, par exemple, ou pour aller pondre leurs œufs.

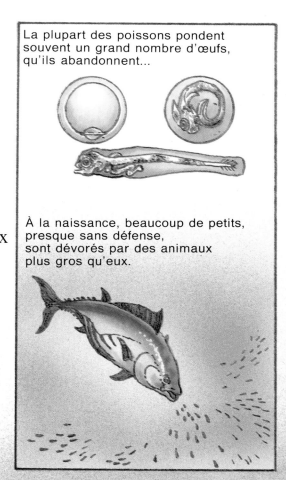

La plupart des poissons pondent souvent un grand nombre d'œufs, qu'ils abandonnent...

À la naissance, beaucoup de petits, presque sans défense, sont dévorés par des animaux plus gros qu'eux.

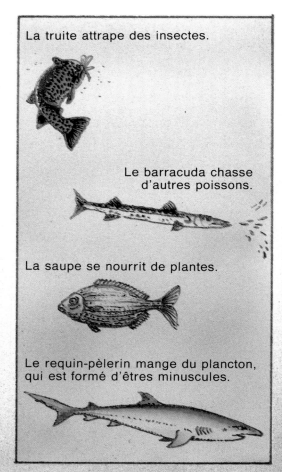

La truite attrape des insectes.

Le barracuda chasse d'autres poissons.

La saupe se nourrit de plantes.

Le requin-pèlerin mange du plancton, qui est formé d'êtres minuscules.

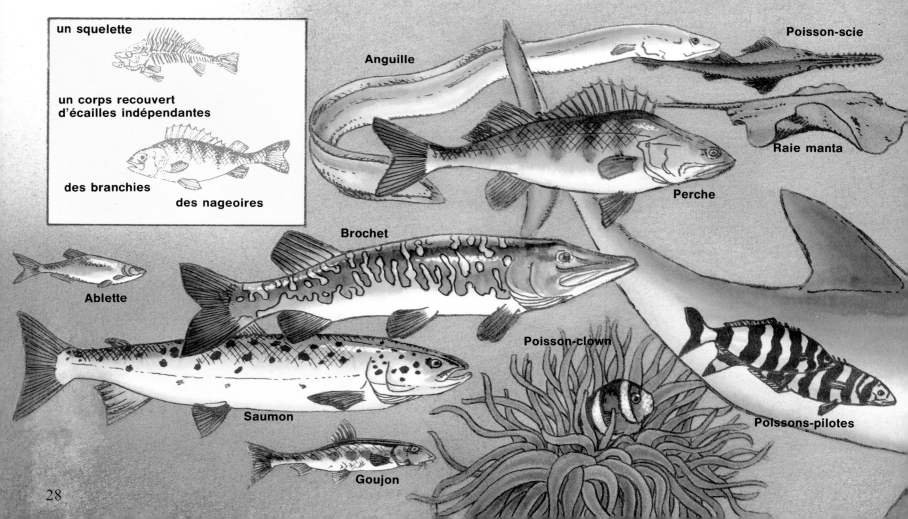

un squelette

un corps recouvert d'écailles indépendantes

des branchies

des nageoires

Anguille

Poisson-scie

Raie manta

Perche

Brochet

Ablette

Poisson-clown

Saumon

Poissons-pilotes

Goujon

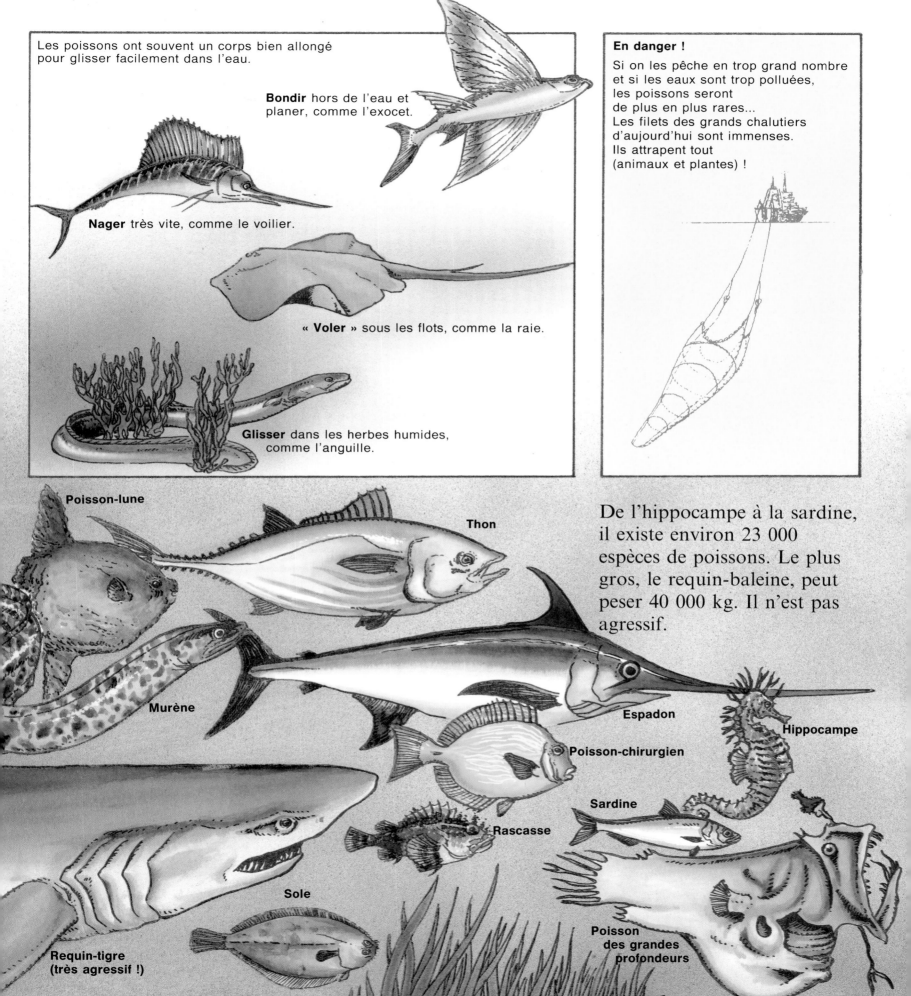

Les poissons ont souvent un corps bien allongé
pour glisser facilement dans l'eau.

Bondir hors de l'eau et
planer, comme l'exocet.

Nager très vite, comme le voilier.

« **Voler** » sous les flots, comme la raie.

Glisser dans les herbes humides,
comme l'anguille.

En danger !

Si on les pêche en trop grand nombre
et si les eaux sont trop polluées,
les poissons seront
de plus en plus rares...
Les filets des grands chalutiers
d'aujourd'hui sont immenses.
Ils attrapent tout
(animaux et plantes) !

Poisson-lune

Thon

De l'hippocampe à la sardine,
il existe environ 23 000
espèces de poissons. Le plus
gros, le requin-baleine, peut
peser 40 000 kg. Il n'est pas
agressif.

Murène

Espadon

Hippocampe

Poisson-chirurgien

Sardine

Rascasse

Sole

Poisson
des grandes
profondeurs

Requin-tigre
(très agressif !)

Les insectes

Ils n'ont pas de squelette, leur corps se divise en trois parties — la tête, le thorax et l'abdomen —, ils ont six pattes, des antennes, souvent des ailes : voilà les insectes ! Ils pondent tous des œufs.

Les insectes respirent l'oxygène de l'air, mais ils n'ont ni poumons ni branchies. L'air pénètre vers leurs organes grâce à de tout petits conduits, les trachées.
Une sorte de fine carapace imperméable recouvre leur corps : la cuticule.

Naissance d'un papillon

Le papillon pond des œufs.

De chaque œuf sort une larve, une chenille.

Puis la chenille devient chrysalide.

Celle-ci est souvent protégée dans un cocon de fils très fins.

Enfin, la chrysalide se métamorphose en un papillon qui ouvre ses ailes fragiles.

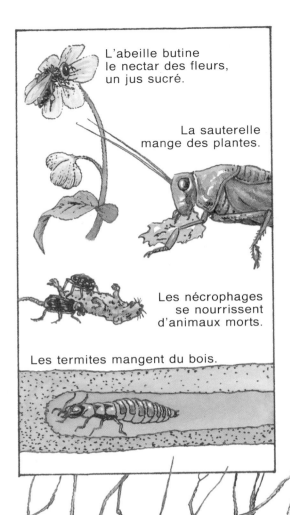

L'abeille butine le nectar des fleurs, un jus sucré.

La sauterelle mange des plantes.

Les nécrophages se nourrissent d'animaux morts.

Les termites mangent du bois.

Les yeux des insectes sont souvent à facettes : ils sont composés de nombreux petits yeux placés côte à côte.

antenne
tête
thorax
abdomen

Scorpion

Araignées et scorpions sont des arachnides. Ils ont huit pattes.

Araignée épeire

Phasme

Sauterelle

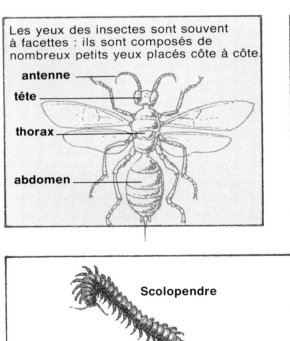

Scolopendre

Ce ne sont pas des insectes !

iule

L'iule et la scolopendre sont des mille-pattes (mais ils n'ont pas mille pattes !).

Pou

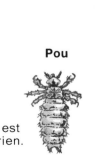

Le pou est un acarien.

Mante religieuse

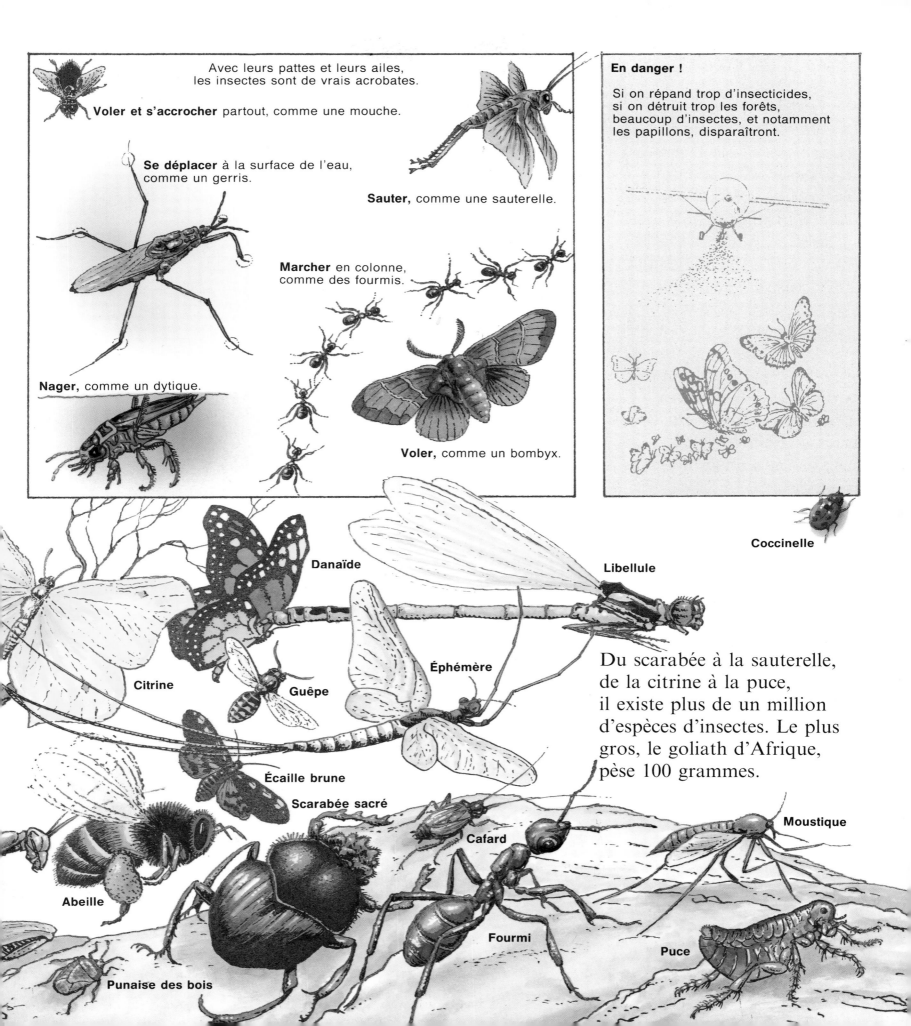

Avec leurs pattes et leurs ailes,
les insectes sont de vrais acrobates.

Voler et s'accrocher partout, comme une mouche.

Se déplacer à la surface de l'eau,
comme un gerris.

Sauter, comme une sauterelle.

Marcher en colonne,
comme des fourmis.

Nager, comme un dytique.

Voler, comme un bombyx.

En danger !

Si on répand trop d'insecticides,
si on détruit trop les forêts,
beaucoup d'insectes, et notamment
les papillons, disparaîtront.

Coccinelle

Danaïde

Libellule

Éphémère

Citrine

Guêpe

Du scarabée à la sauterelle,
de la citrine à la puce,
il existe plus de un million
d'espèces d'insectes. Le plus
gros, le goliath d'Afrique,
pèse 100 grammes.

Écaille brune

Scarabée sacré

Cafard

Moustique

Abeille

Fourmi

Puce

Punaise des bois

Les crustacés...

Ils n'ont pas de squelette, mais une carapace et des antennes : voilà les crustacés, des cousins des insectes ! Ils respirent grâce à des branchies.

Certains crustacés vivent dans la mer, d'autres dans les rivières. Un seul s'est installé complètement sur la terre ferme : le cloporte.

On connaît des crustacés minuscules, comme les daphnies, ou « puces d'eau douce ». Leur taille varie entre 1,5 et 6 mm ! D'autres sont vraiment impressionnants :

le crabe géant du Japon, par exemple, peut dépasser 4 mètres de large, pattes déployées.

De la crevette à la balane, du bernard-l'ermite au homard, il existe environ 35 000 espèces de crustacés.

Les crustacés pondent des œufs. Il en sort des larves minuscules.

Les petits grandissent souvent en muant : ils changent de carapace.

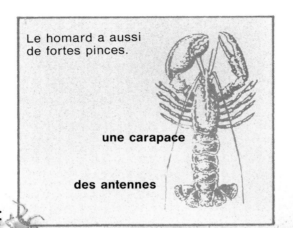

Le homard a aussi de fortes pinces.

une carapace

des antennes

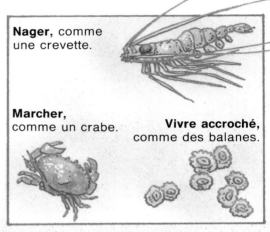

Nager, comme une crevette.

Marcher, comme un crabe.

Vivre accroché, comme des balanes.

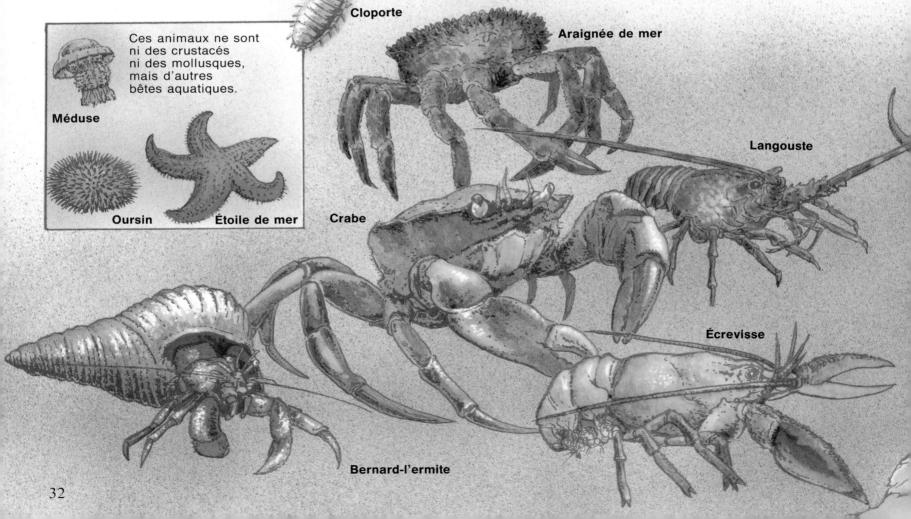

Ces animaux ne sont ni des crustacés ni des mollusques, mais d'autres bêtes aquatiques.

Méduse

Oursin

Étoile de mer

Cloporte

Araignée de mer

Langouste

Crabe

Écrevisse

Bernard-l'ermite

et les mollusques

Ils n'ont pas de squelette mais, souvent, une coquille. Ils respirent grâce à des branchies ou, comme l'escargot et la limace, avec un poumon : voilà les mollusques !

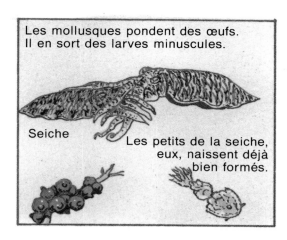

Les mollusques pondent des œufs. Il en sort des larves minuscules.

Seiche

Les petits de la seiche, eux, naissent déjà bien formés.

En danger !

Les animaux aquatiques sont très sensibles à la pollution des eaux. Le pétrole perdu par des bateaux, par exemple, fait des ravages quand il arrive près des côtes.

Escargot

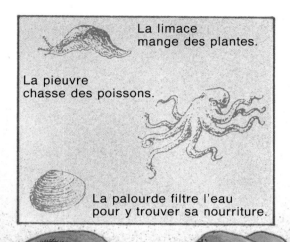

La limace mange des plantes.

La pieuvre chasse des poissons.

La palourde filtre l'eau pour y trouver sa nourriture.

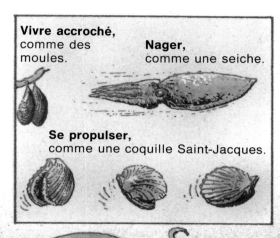

Vivre accroché, comme des moules.

Nager, comme une seiche.

Se propulser, comme une coquille Saint-Jacques.

Les mollusques rassemblent des animaux très divers comme les limaces, les moules, les patelles, les pieuvres...

Pieuvre

Patelle

Huître

Buccin

Couteau

Murex

33

Des animaux qui n'existent plus...

Dans des livres, des musées ou des films, tu vois parfois des os et des reconstitutions d'animaux qui n'existent plus aujourd'hui. Les plus célèbres sont les dinosaures. À leur époque, il y avait de nombreuses plantes ou bêtes, mais aucun humain. Cornes pointues, longs cous, griffes acérées, plaques osseuses, corps gigantesques ou petits comme celui d'une poule : les dinosaures étaient très différents !

Le ptérosaure : reptile volant, sans plumes mais avec des dents et une queue !

L'archéoptéryx : le premier oiseau ?

Dinosaure carnivore, voilà le **dimétrodon** avec sa « voile » sur le dos.

Le stégosaure : paisible dinosaure herbivore avec des plaques osseuses et quatre pointes.

Le tyrannosaure : un dinosaure carnivore.

Le mosasaure : un des plus grands reptiles marins carnivores.

Dinosaure herbivore, le **tricératops,** avec trois cornes et une collerette osseuse.

Le fulgorothorium : un petit dinosaure.

Le brachiosaure : un gigantesque dinosaure herbivore.

...et d'autres qui n'ont jamais existé

Depuis toujours, les hommes ont imaginé des êtres étranges. Certains sont gentils, comme les fées ou le père Noël, d'autres redoutables, comme les sorcières et les ogres, ou mystérieux, comme les sphinx et les sirènes...

Dans les légendes, tu rencontres des animaux étranges ou des êtres fabuleux, qui font très peur. Heureusement, ils n'ont jamais existé !

Pégase, le cheval ailé.

La sirène des légendes grecques.

Un redoutable **dragon** à trois têtes.

La petite sirène des contes d'Andersen.

La licorne avec sa corne sur la tête.

Le griffon : moitié lion et moitié aigle.

Comment naissent les bébés ?

Un homme et une femme qui s'aiment ont décidé d'avoir un enfant. Il faut que les spermatozoïdes du père remontent dans le ventre de la mère. Un seul, le plus fort, pénètre alors dans l'ovule, un tout petit œuf.

Aussitôt, un bébé commence à se former. Un mois plus tard, son cœur minuscule bat déjà. Puis son squelette apparaît, et son foie, et ses reins... Tout se forme. Le bébé est bien protégé dans une poche qui grossit avec lui. Il est relié à sa mère par le cordon ombilical. Grâce à ce tuyau, il reçoit la nourriture et l'oxygène dont il a besoin. À 4-5 mois, il bouge et donne même des coups de pied ! Peu à peu, le petit grandit.

Au bout de neuf mois, il sort du ventre maternel, en général la tête en avant, et pousse un cri en respirant de l'air pour la première fois. 3 bons kilos, 50 cm : voilà un beau nouveau-né ! Le médecin coupe le cordon ombilical, dont il restera une trace : le nombril !

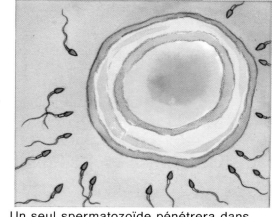

Un seul spermatozoïde pénétrera dans l'ovule : la vie d'un bébé commencera alors.

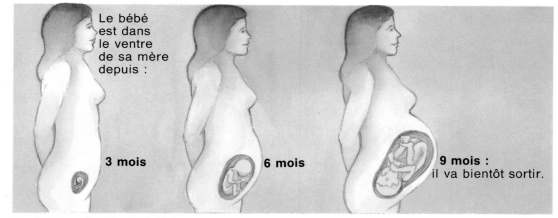

Le bébé est dans le ventre de sa mère depuis :

3 mois

6 mois

9 mois : il va bientôt sortir.

Pendant neuf mois, le bébé se forme et grandit dans le ventre de sa mère.

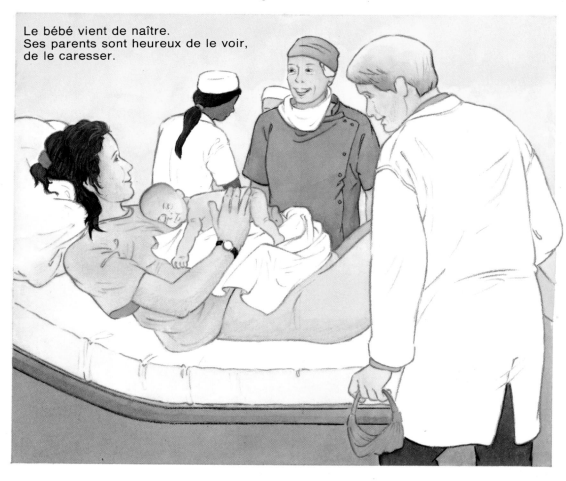

Le bébé vient de naître. Ses parents sont heureux de le voir, de le caresser.

Les parents rêvent à leur futur enfant : fille, garçon... ou jumeaux ?

Le premier mois
Il boit du lait, de l'eau, et dort beaucoup.

Vers 3 mois Il sourit, mais n'a pas encore de dents.

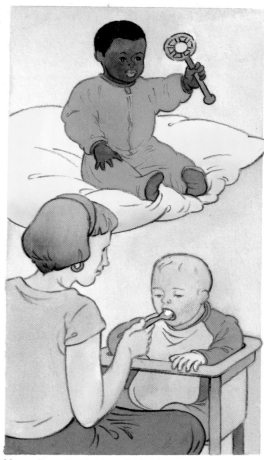

Vers 6 mois Il s'assied bien et montre ses premières dents de devant.

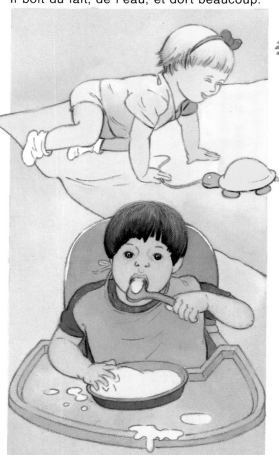

Vers 9 mois Il avance à quatre pattes et commence à manger tout seul.

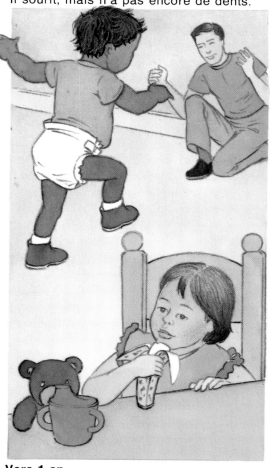

Vers 1 an
Il se tient debout et fait quelques pas.

Le bébé se nourrit d'abord de lait. Il est encore très fragile. Il dort beaucoup, il boit, il voit mal, mais il pleure très bien !
Un an plus tard, il mange presque de tout, il commence à marcher, il dit ses premiers mots...

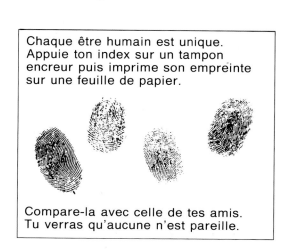

Chaque être humain est unique. Appuie ton index sur un tampon encreur puis imprime son empreinte sur une feuille de papier.

Compare-la avec celle de tes amis. Tu verras qu'aucune n'est pareille.

37

Qui commande mon corps ?

Avant même notre naissance, le cerveau commande nuit et jour notre corps. Cet organe mou est bien protégé par les os du crâne. Il enregistre tout ce que nous sentons. Rien ne lui échappe ! Grâce à lui, nous pensons, nous réfléchissons, nous sommes tristes ou gais, nous avons des souvenirs...

Il est aidé dans ce travail par de nombreux nerfs, ses fidèles serviteurs, qui parcourent tout notre corps. Ces nerfs ressemblent à des fils blanchâtres plus ou moins gros. Ils envoient sans cesse des messages au cerveau et transmettent ses ordres. Pour bien décider, le cerveau doit savoir ce qui se passe autour de nous.

Nos cinq sens sont là pour le renseigner. Ta peau, organe du toucher, te permet de ressentir le froid, le chaud. Avec ta langue, organe du goût, tu reconnais le sucré, le salé, l'amer ou l'acide. Avec ton nez, organe de l'odorat, tu sens mille odeurs. Avec tes yeux, organes de la vue, tu vois ce qui t'entoure. Avec tes oreilles, organes de l'ouïe, tu entends tous les bruits.

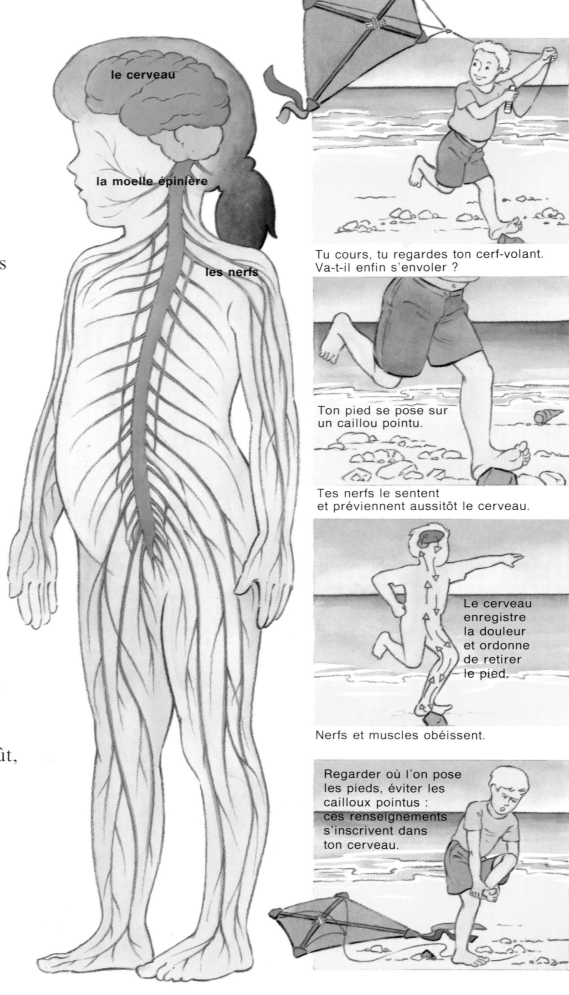

le cerveau

la moelle épinière

les nerfs

Tu cours, tu regardes ton cerf-volant. Va-t-il enfin s'envoler ?

Ton pied se pose sur un caillou pointu.

Tes nerfs le sentent et préviennent aussitôt le cerveau.

Le cerveau enregistre la douleur et ordonne de retirer le pied.

Nerfs et muscles obéissent.

Regarder où l'on pose les pieds, éviter les cailloux pointus : ces renseignements s'inscrivent dans ton cerveau.

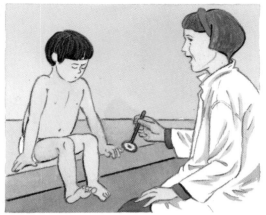

Quand le médecin frappe le genou avec un petit marteau spécial...

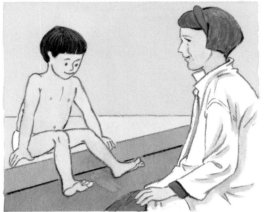

... la jambe se lève toute seule.

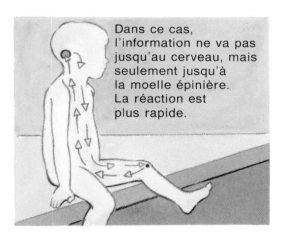

Dans ce cas, l'information ne va pas jusqu'au cerveau, mais seulement jusqu'à la moelle épinière. La réaction est plus rapide.

Nos cinq sens et nos nerfs envoient sans arrêt des messages à notre cerveau. Mais celui-ci a besoin de se reposer, même s'il continue alors d'enregistrer les informations. Voilà pourquoi nous devons dormir.

Le toucher
Rien n'est plus doux qu'un câlin !

Le goût
Salé, sucré, acide, amer... à toi de deviner.

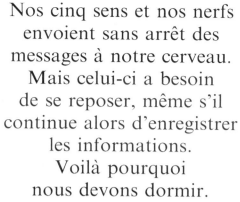

La vue
Tes yeux voient très loin, et très près.

L'odorat
Un gâteau... Quelle délicieuse odeur !

L'ouïe On écoute avec plaisir de la musique... mais pas le marteau piqueur.

Sais-tu que les organes de l'équilibre, qui te permettent de marcher sur une poutre ou de jouer à la marelle, se trouvent à l'intérieur de tes oreilles ?

Ton cerveau ne se repose jamais complètement : il travaille même quand tu dors. Voilà pourquoi tu fais de beaux rêves... et parfois aussi des cauchemars. Mais tu te réveilles vite pour les chasser.

Des machines qui marchent toutes seules

Le cœur est un muscle creux séparé en deux parties, droite et gauche. Il se trouve dans ta poitrine, à gauche. Si tu y poses la main à plat, tu peux le sentir battre car il se serre environ 70 fois par minute, tout seul. Ainsi, il lance du sang dans les artères, des sortes de tuyaux. En même temps, le cœur se remplit de sang sali, qui arrive par d'autres tuyaux, les veines.

Pour le purifier, le cœur a besoin de l'oxygène de l'air, qui est indispensable à tout notre corps. L'oxygène pénètre dans tes poumons quand tu respires par le nez ou par la bouche. Là, le sang sali circule autour de petits sacs à air. Il se recharge en oxygène et se débarrasse de son gaz carbonique, un poison.

Le sang travaille comme un facteur. Il transporte dans tout ton corps ce dont il a besoin, l'oxygène de l'air venu des poumons, les bonnes substances des aliments que transporte l'intestin, mais aussi celles qui doivent être éliminées.

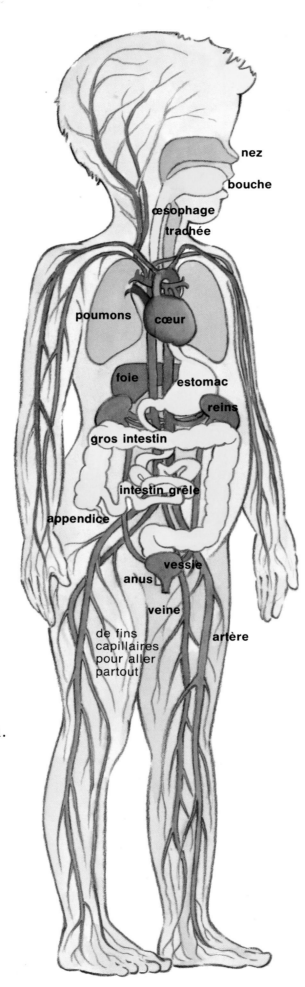

nez
bouche
œsophage
trachée
poumons
cœur
foie
estomac
reins
gros intestin
intestin grêle
appendice
vessie
anus
veine
de fins capillaires pour aller partout
artère

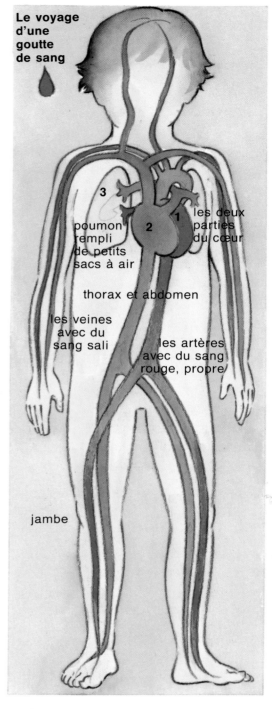

Le voyage d'une goutte de sang

3
poumon rempli de petits sacs à air
2
1
les deux parties du cœur
thorax et abdomen
les veines avec du sang sali
les artères avec du sang rouge, propre
jambe

La moitié droite du cœur (1) se serre et lance du sang. Celui-ci s'engouffre dans les grosses artères, se glisse dans les artères plus fines, pénètre dans de fins capillaires qui traversent les muscles. Le sang laisse en passant les bons produits qu'il transporte, prend les déchets, et repart par des veines qui arrivent dans la moitié gauche du cœur (2). Le sang remonte alors par de petits vaisseaux vers les sacs à air des poumons (3). Là, il se débarrasse de son gaz carbonique et se charge de l'oxygène que tu as respiré. De nouveau propre, il repart vers le cœur (1)... et son voyage recommence.

Tu cours, tu t'essouffles, tu respires vite...
parce qu'il te faut plus d'oxygène, d'air.

Ton sang se charge d'oxygène
et l'apporte à tes muscles,
qui en ont besoin après chaque effort.

Ainsi, le sang, sans
jamais s'arrêter, livre
ce qui est nécessaire aux
muscles, aux organes, aux os,
et il emporte les déchets qui
sont mauvais pour eux.

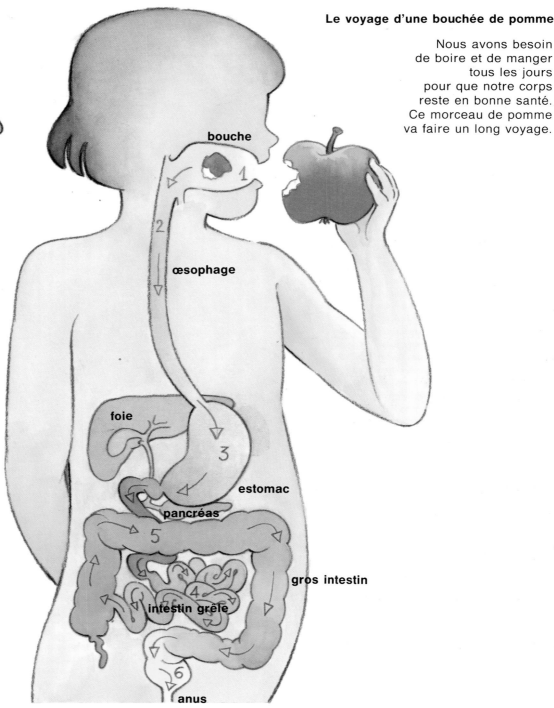

Nous avons besoin
de boire et de manger
tous les jours
pour que notre corps
reste en bonne santé.
Ce morceau de pomme
va faire un long voyage.

bouche

œsophage

foie

estomac

pancréas

gros intestin

intestin grêle

anus

Le médecin écoute avec son stéthoscope
les bruits de ton cœur et de tes poumons.

D'abord, tes dents qui ont croqué
le morceau de pomme le mâchent dans
ta bouche (1). Puis il descend par un tuyau,
l'œsophage (2), directement dans ton
estomac (3). Celui-ci se contracte et le fruit,
mouillé par un suc spécial, se transforme
en une bouillie fine. Celle-ci glisse vers
l'intestin grêle (4), où le sang emporte
les éléments de la pomme qui sont bons
pour ton corps. Le reste traverse le gros
intestin (5). Plus tard, il sera évacué
sous forme d'urine et de selles
par la vessie et par l'anus (6).

Tu dois souvent débarrasser ton corps
de ses déchets.

41

Tout bouge

Sans notre squelette, nous serions tout mous. Nos organes ne seraient pas protégés. Ce squelette solide est un vrai puzzle, qui compte plus de 200 os. Longs, courts, plats..., ils grandissent et grossissent durant toute notre enfance. Lorsque, par hasard, ils se cassent, ils se ressoudent.

Les os s'emboîtent bien les uns dans les autres, car chacun a exactement la forme et la taille qu'il faut pour l'endroit où il se trouve. Quand nous bougeons, nos os glissent l'un contre l'autre au niveau des articulations, comme le coude ou le genou, tapissées de cartilages et d'un liquide huileux.

Mais notre squelette ne serait qu'une carcasse raide sans nos 600 muscles. Bien accrochés aux os par leurs tendons, ces muscles élastiques, en se raccourcissant ou en s'allongeant, tirent ou relâchent nos os. Voilà ce que font les « muscles striés », qui nous permettent de courir, de sauter, de jouer... Les « muscles lisses », eux, comme l'estomac ou l'intestin, travaillent tout seuls. Ils écrasent, aspirent, rejettent...

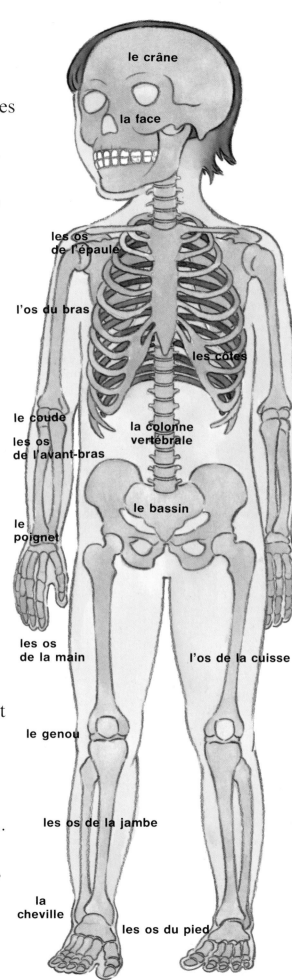

le crâne

la face

les os de l'épaule

l'os du bras

les côtes

le coude

les os de l'avant-bras

la colonne vertébrale

le bassin

le poignet

les os de la main

l'os de la cuisse

le genou

les os de la jambe

la cheville

les os du pied

Ton chat est lourd. Pour le porter, tu contractes les muscles de tes bras.

biceps

Tes biceps deviennent durs !
Tes avant-bras se soulèvent, ton chat aussi.

Ton chat se sauve ; tu relâches tes muscles.
Tes bras retombent le long de ton corps.

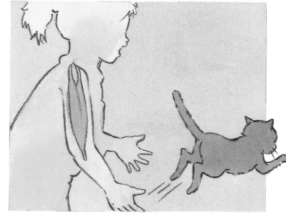

 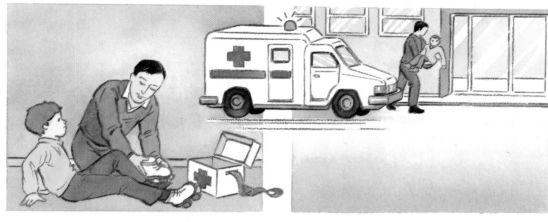

1. Tu es tombé ; tu ne peux pas te relever.

2. Tu as sans doute la jambe cassée.

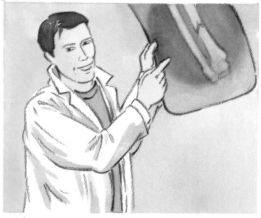 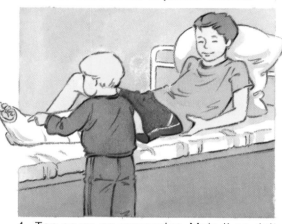 

3. À l'hôpital, le médecin te fait une radio. Il y a bien une fracture.

4. Ton os va se ressouder. Mais il ne doit pas bouger : il faut mettre un plâtre.

5. Avec une béquille, tu pourras marcher.

La peau doit être lavée.

La peau est souple.

Les petits trous visibles sur la peau laissent sortir la sueur et entrer l'oxygène.

Une peau mince, élastique, solide, plus ou moins foncée, recouvre entièrement le corps. Elle le protège contre le vent, les poussières, la pluie : rien ne passe. Dans notre peau se forment les ongles et les poils, courts sur le corps, longs sur la tête !

Les cheveux doivent être lavés et démêlés.

 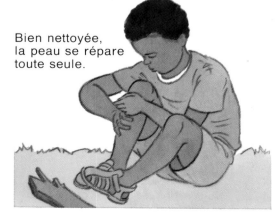 

Bien nettoyée, la peau se répare toute seule.

La peau bronze au soleil.

Pourquoi suis-je parfois malade ?

Fièvre, frissons, boutons, nez bouché, mal au ventre : les microbes attaquent !

Ces minuscules êtres vivants sont très nombreux dans la nature. Ainsi, les virus sont responsables de plusieurs maladies : grippes, rougeoles, oreillons... Ils sont si petits qu'on ne peut les voir qu'avec un microscope électronique. Pourtant, ils se déplacent très facilement d'une personne à l'autre. On dit alors que les maladies sont contagieuses.

La fièvre est un bon moyen de défense, car elle tue les microbes en grand nombre. Mais ton corps a souvent besoin d'être aidé dans sa lutte. Le médecin écoute ce que tu lui dis, t'ausculte, et te donne des médicaments. Il faut en prendre la quantité indiquée à l'heure qu'il a précisée. Même si les sirops, les comprimés ou les suppositoires ne sont pas toujours agréables... Et puis, ne sois pas trop impatient : les médicaments ne sont pas des potions magiques. Le combat dure souvent plusieurs jours.

1. Il fait froid, il pleut... tu frissonnes. Vite, tu rentres à la maison.

2. Maman a pris ta température avec un thermomètre. Tu as de la fièvre.

3. Le médecin t'ausculte. Tu n'as rien de grave. Prends bien tes médicaments !

4. Ces médicaments vont aider ton corps à se défendre contre l'infection.

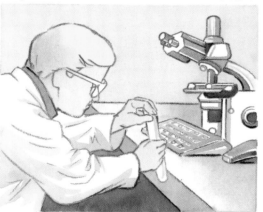

Grâce aux vaccins mis au point dans des laboratoires, nous évitons certaines maladies graves. Une petite piqûre suffit à nous en protéger.

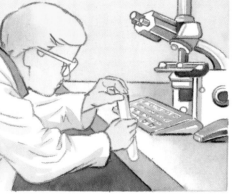

Même une égratignure doit être soignée. Sans tarder, il faut la nettoyer, mettre un pansement pour l'isoler des saletés.

Aujourd'hui, les vaccins permettent d'éviter bien des maladies. Une petite piqûre avec un produit qui contient une très faible quantité d'un microbe, et te voilà protégé contre ce microbe. S'il essaie de t'attaquer, ton corps, qui a appris à le reconnaître, saura se défendre tout seul.

De nombreux médecins peuvent s'occuper de toi si tu es malade. Le pédiatre est le spécialiste des enfants. Mais sais-tu ce que font l'oto-rhino-laryngologiste, l'ophtalmologiste, le radiologue ?

L'**oto-rhino-laryngologiste** s'occupe des oreilles, du nez et de la gorge.

Dans la salle d'opération, le **chirurgien,** aidé de son équipe, soigne l'intérieur du corps.

L'**orthophoniste** aide à bien prononcer les mots et à bien reconnaître les sons.

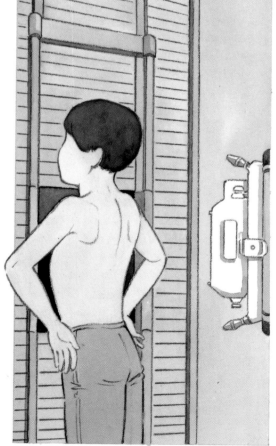

Le **radiologue** prend des images, des radios, de notre squelette ou de nos organes.

L'**ophtalmologiste** soigne les yeux.

L'**infirmier** donne des soins.

Le **dentiste** vérifie que tes dents poussent bien, et les soigne si elles ont une carie.

45

Bien manger et bien dormir

Pour être en bonne santé et bien résister aux microbes, il est important d'avoir une nourriture équilibrée. Mais que dois-tu donc manger pour que ton corps soit fort et grandisse ? Un peu de tout : fruits, légumes, œufs, viandes, poissons, chocolat, céréales, beurre, pâtes, fromages... Sans oublier de boire du lait et de l'eau, beaucoup d'eau.

Toutes ces bonnes choses, il faut bien les mâcher avant de les avaler. Pour cela, nous avons trois sortes de dents qui font chacune un travail différent.

Sur le devant, nos incisives plates coupent ; sur le côté, nos canines pointues déchirent ; dans le fond, nos molaires arrondies, bosselées, écrasent comme des « meules » tous nos aliments.

Pour te faire des muscles et grandir
Fer, phosphore, potassium et vitamines !

légumes secs
œufs
volaille
poisson
viande

Pour rendre les os solides
Un peu de tout, beaucoup de calcium... et du soleil !

fromage
lait
yaourts

Pour grandir et lutter contre les microbes
De la vitamine A, excellente pour la croissance !

huile
beurre
crème

Pour avoir de l'énergie
Des vitamines et des sels minéraux !

farine et pain
crêpes
sucre
chocolat
bonbons (un peu !)
pommes de terre

EAU POTABLE

Pour rester en bonne santé
Des vitamines, du calcium, du potassium !

salade
légumes verts
fruits

1. Après une bonne nuit, tu te sens en pleine forme. Vite, debout !

céréales
lait
beurre
miel
tartine
confiture

2. Ton petit déjeuner est copieux et varié, car tu n'as rien mangé depuis hier soir.

3. En route pour l'école. Fais bien attention dans la rue à cause des voitures.

4. À la récréation, tu prends des forces : un biscuit, du lait ou un jus de fruits.

5. Après avoir joué, mangé et bu, tu travailles mieux.

carottes râpées
viande
pâtes
pomme
yaourt

6. Au déjeuner, tu manges un peu de tout pour avoir de l'énergie jusqu'au goûter.

7. Tu sautes, tu cours : l'exercice est aussi excellent pour la santé.

jus de fruits
pain au chocolat

8. Un moment de calme pour le goûter. Tu peux boire de l'eau autant que tu veux !

9. Jouer, regarder un livre... ou ne rien faire. C'est bon quand on a bien travaillé.

10. Un bain pour se laver et se détendre.

potage de légumes
épinards
riz
poisson

11. Le dîner pour retrouver la famille.

12. Une dernière histoire... avant les rêves.

Avec les hommes de la préhistoire

Il y a environ 17 000 ans, nos ancêtres de la préhistoire se nourrissent en chassant, en pêchant, en cueillant des plantes sauvages. Ils changent souvent de place, car ils suivent les animaux, par exemple les rennes, qui vivent en liberté et se déplacent à travers des régions immenses.

Les hommes de cette époque s'abritent souvent dans des grottes, où ils se sentent en sécurité. Mais ils construisent aussi des huttes et des tentes. Ils s'habillent avec des peaux d'animaux. Leurs vêtements sont cousus et ils sont chauds.

Les femmes, les hommes et les enfants se retrouvent autour du foyer, où brûle un bon feu. Les uns taillent des pierres pour faire des outils et des armes, d'autres coupent des peaux, d'autres encore cuisent des aliments. Les jeunes apprennent peu à peu auprès des adultes les gestes qu'ils doivent faire.

Il faut savoir se débrouiller, bien connaître la nature, être adroit et intelligent. Mais la vie est belle aussi, surtout quand la chasse a été bonne.

Chez les premiers agriculteurs

Il y a environ 10 000 ans, des femmes et des hommes ont commencé à cultiver des plantes, à élever des animaux.

Ils sont devenus agriculteurs et éleveurs. Leur vie a été transformée. Les premiers villages sont apparus à cette époque. Pour travailler la terre, il faut en effet habiter près des champs et leur consacrer du temps :

préparer le sol, semer les graines, récolter les plantes...
Nos ancêtres apprennent à fabriquer des objets en terre cuite, à tisser des étoffes. Ils utilisent toujours des outils en pierre, qui sont maintenant souvent polis.

Il y a près de 5 000 ans, des hommes dressent des menhirs.

En Égypte, ils construisent les premières pyramides.

En voyage sur un bateau grec

Il y a environ 2 500 ans, en Grèce, un petit pays au bord de la mer Méditerranée, les hommes aiment avant tout vivre libres, indépendants. Les Grecs sont aussi de très bons marins. Ils font du commerce et fondent des colonies tout autour de la Méditerranée. Ainsi, Marseille, en France, est un port d'origine grecque. Ils transportent du blé, de l'huile, des métaux, de très belles poteries. Les marins tirent leur navire sur une plage. Ils déchargent des marchandises pour les échanger, les vendre. Quand ils prennent leur repas, ils discutent souvent. Car les Grecs aiment parler, échanger des idées. Ils sont fiers de leur cité où vivent des artisans, des artistes, des écrivains, des savants...

Il y a environ 2 200 ans, les Chinois commencent à édifier la Grande Muraille.

En suivant une grande voie romaine

Il y a environ 2 000 ans, les Romains ont conquis tous les pays autour de la mer Méditerranée et une grande partie de l'Europe située plus au nord. La ville de Rome, en Italie, dirige un immense empire où règne la paix.

De solides voies en pierre permettent de se rendre partout. Les légionnaires, les soldats romains, les empruntent pour aller défendre les frontières contre les « Barbares ». Marchands et messagers suivent aussi ces longues routes...
Des aqueducs en pierre, qui ressemblent à des ponts immenses, conduisent l'eau vers les fontaines et les bains publics des villes.

Jésus-Christ est né il y a presque 2 000 ans, en Palestine, une région occupée par les Romains.

Les Vikings débarquent !

Il y a environ 1 200 ans, des hommes venus du Nord font trembler toute l'Europe : ce sont les Vikings.
Ces guerriers redoutables sont aussi d'excellents marins. À bord de leurs navires, les drakkars, ils affrontent les vagues de l'océan ou remontent les fleuves.

Quand ils débarquent sur une côte, ils sèment la terreur. Ils pillent les églises et les monastères, brûlent les villages, n'hésitent pas à s'attaquer aux villes.

Paris, qui était alors une petite ville, leur a pourtant résisté. Certains Vikings, un peu plus tard, se sont installés en France, dans une région appelée aujourd'hui la Normandie, le « pays des hommes du Nord ».

Autour de l'an 1000

Le roi Arthur

Le chevalier Lancelot

Ali Baba

Un tournoi au pied du château fort

Il y a environ 750 ans,
c'est le temps des chevaliers
et des châteaux forts.
De puissantes forteresses
en pierre se dressent un peu
partout. Elles dominent la
campagne. Les seigneurs sont
les maîtres de la terre et des
villages des environs.
Ils se combattent souvent.

Pour entraîner leurs
guerriers, les chevaliers,
les seigneurs organisent
des tournois. Les hommes
s'affrontent au pied du château
fort. Ils galopent les uns vers
les autres, lances tendues.
Chacun tente de faire tomber
son adversaire de son cheval.
Les tournois sont de grandes
fêtes, avec des musiciens,
des jongleurs, des acrobates.
Tout le monde y assiste :
les seigneurs et leur dame,
les paysans, les artisans...

Le temps des
cathédrales gothiques.

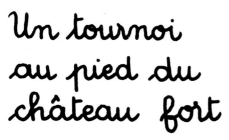

De l'autre côté de l'océan,
un grand peuple :
les Mayas.

Christophe Colomb et l'Amérique

Il y a 500 ans, en 1492, trois bateaux, partis d'Espagne et commandés par Christophe Colomb, arrivent en vue d'une terre inconnue après avoir traversé l'océan Atlantique.

Christophe Colomb pense qu'il est très près des Indes et il appelle « Indiens » les premiers habitants qu'il rencontre.

En fait, Colomb et ses marins viennent d'aborder une île au large d'un continent dont les Européens n'avaient jamais entendu parler. Ce continent sera appelé « Amérique ».

Gutenberg imprime le premier livre en Europe il y a plus de 500 ans.

De plus en plus de canons sur les champs de bataille.

Fiers mousquetaires et belles dames

Il y a environ 350 ans, au temps des mousquetaires, de nobles gentilshommes portent un large chapeau orné de plumes. Ils dégainent facilement leur épée !

Dans les grandes villes, comme Paris, on se retrouve le soir au théâtre : on joue, on parle, on boit, on rit... en attendant que le spectacle commence. Mais attention aux voleurs qui prennent les bourses ! Quant aux comédiens, si leur façon de jouer ne plaît pas au public, ils sont hués, forcés de quitter la scène.

C'est l'époque de Cyrano de Bergerac, de d'Artagnan... et bientôt de Molière. Des noms qui font rêver.

Indien Sioux des grandes plaines américaines.

Un colon anglais en Amérique.

Dans le palais des princes

Il y a un peu plus de 200 ans, les princes organisaient des fêtes somptueuses dans leurs palais. Des costumes couverts de broderies et de dentelles... Des lustres étincelants où scintillent les flammes des chandelles... Des dizaines de serviteurs... Les perruques compliquées des hommes et des femmes... Au loin, les premiers accords d'un orchestre... Partout, des conversations animées...

Et ici, en Russie, presque tous les invités parlaient français, car c'était alors une langue que tous les gens cultivés connaissaient.

Mais, derrière cette richesse, que de misère encore en Europe pour la très grande majorité des gens !

Un grand explorateur à l'époque des voiliers.

Achetés en Afrique, des Noirs sont vendus comme esclaves en Amérique.

Le train va partir !

Il y a un peu moins de 150 ans, le chemin de fer est une grande nouveauté. La locomotive est une machine à vapeur montée sur des roues. C'est un vrai bouleversement dans les transports ! Les voyageurs se bousculent déjà dans les grandes gares de Londres, de Bruxelles, de Paris...

Des milliers de kilomètres de voies ferrées sont construites. Les voyages en train offrent un confort, une rapidité et une sécurité inimaginables jusqu'alors. Des milliers de gens et des millions de tonnes de marchandises traversent pays et continents.

L'utilisation de la vapeur, qui a déjà permis le développement de grandes usines, est en train de créer le monde moderne.

En Amérique, Buffalo Bill chasse les bisons le long des voies ferrées.

Des explorateurs partent à la conquête des pôles.

Les premières automobiles

Il y a presque 100 ans, les rues d'une grande ville sont encore bien différentes des nôtres. Pourtant, elles commencent à leur ressembler. Sur ce dessin, tu verras que divers objets dont nous nous servons aujourd'hui existent déjà. Mais, depuis, leurs formes ont changé : ils sont plus pratiques. Pourtant, l'automobile, la bicyclette, le tramway, le métro, la caméra de cinéma, l'éclairage électrique, le téléphone, le ballon dirigeable... sont là ! Bientôt, les premiers avions partiront à la conquête du ciel.

Tout au long du 20e siècle, le progrès des techniques et des sciences va se poursuivre et changer la vie des gens.

Le sultan turc règne sur un grand empire entre l'Asie et l'Europe.

Un soldat de la guerre de 1914-1918, la Première Guerre mondiale.

La Seconde Guerre mondiale

Il y a un peu plus de 50 ans, en 1939, l'Allemagne nazie envahit l'Europe. Pendant plusieurs années, la terreur règne. Les nazis tuent des millions de gens.

En 1944, des soldats débarquent en France, sur les côtes de Normandie. Ils sont en majorité américains et anglais et ils viennent libérer les peuples d'Europe. Les Russes, eux aussi, ont lancé toutes leurs forces contre l'Allemagne. Les Alliés, tous ensemble, ont enfin gagné la guerre.

La Seconde Guerre mondiale fut sans doute la plus horrible de toutes les guerres. Depuis, les Européens font beaucoup d'efforts pour vivre en bonne entente.

L'homme a marché sur la Lune il y a plus de 20 ans.

Aujourd'hui, les hommes savent aussi qu'ils doivent prendre soin de leur planète.

La télévision s'est répandue partout depuis 40 ans environ.

De toutes les couleurs, les peuples de la Terre

Notre Terre accueille près de 6 milliards d'hommes, de femmes et d'enfants. Parce que notre peau est plus ou moins colorée, nous parlons des Noirs, des Blancs, des Jaunes ou des « Rouges ». C'est l'arc-en-ciel des peuples de la Terre !

Beaucoup de gens vivent là où ils sont nés. D'autres, par plaisir ou parce qu'ils y

Notre peau peut être foncée, cuivrée, blanche... Nous sommes filles ou garçons, grands ou petits, très minces ou dodus... Nos cheveux sont blonds, bruns ou roux, frisés ou raides... Tous les êtres humains sont à la fois pareils et différents, et chacun est unique. Nous ne sommes donc ni mieux ni moins bien que les autres Terriens... Nous appartenons tous à la même famille.

Selon les régions, la Terre est plus ou moins peuplée. Mais les hommes se sont installés partout.

Peu de gens vivent sur ce haut plateau d'Amérique du Sud.

Cette campagne d'Europe est moyennement peuplée.

Quelle foule dans cette grande ville d'Asie !

La diversité des hommes, des femmes et des enfants du monde nous donne envie de partir à leur rencontre.

sont obligés, partent dans un pays lointain. En fait, depuis toujours, les hommes se sont déplacés sur toute la Terre, se sont mélangés. Depuis toujours, ils voyagent, se rencontrent, s'aiment, ont des enfants...

Sur Terre, certaines régions sont très peuplées et d'autres presque vides, comme les déserts chauds et froids. Mais, partout, leurs habitants ont inventé des modes de vie, des maisons, des vêtements, une façon de se nourrir... Quelle richesse, toutes ces différences !

Les femmes et les hommes du monde entier peuvent s'unir pour former une famille. Leurs enfants leur ressemblent tout en étant différents.

Vivre sous des climats doux

Nous vivons dans un pays au climat doux, on dit « tempéré ». Nous sommes en effet loin des déserts brûlants ou des régions polaires glaciales. Nous aimons les quatre saisons qui rythment l'année : l'hiver, le printemps, l'été et, enfin, l'automne. Les journées comptent toutes 24 heures, mais la lumière du Soleil ne nous éclaire pas toujours de la même manière. En hiver, les nuits sont longues et les jours courts. En été, c'est l'inverse : le Soleil se couche tard et se lève tôt. Deux fois par an seulement, le jour et la nuit comptent chacun exactement 12 heures : c'est la première journée de printemps en mars, et la première journée

Une bonne maison est construite pour être confortable toute l'année, par tous les temps.

Pluie de printemps. Fermons les fenêtres et allumons un bon feu dans la cheminée pour chasser l'humidité.

Soleil d'été. Ouvrons les fenêtres, baissons les stores et pensons à arroser les plantes du jardin.

Une maison fortifiée près de la Loire.

Une maison d'Italie.

Un chalet des Alpes.

Une caravane.

d'automne, en septembre.

Chaleur, froid, sécheresse, pluie... Le temps change au cours des saisons et d'un endroit à l'autre. Les paysages, les maisons changent aussi. Les plantes et les animaux s'adaptent à ces différences.

Reconnais-tu tes vêtements d'automne, de printemps, d'hiver et d'été ?

Neige d'hiver. Gardons bien la chaleur de la maison et, pour aller jouer dehors, n'oublions pas bonnet et écharpe.

Les maisons sont différentes selon le climat de la région, l'endroit où elles se trouvent, l'époque à laquelle elles ont été construites.

Une petite ferme d'Irlande.   Une maison de village en Alsace.   Un immeuble ancien.   Un immeuble moderne.

Vivre sous des climats très chauds...

De vastes régions de la Terre ne connaissent pas nos quatre saisons. Il y fait chaud ou froid toute l'année. Parfois, il y a une saison sèche et une saison humide. Les vêtements, les habitations, la manière de vivre sont, bien sûr, adaptés à ces climats différents. Dans les pays de forêts, les maisons sont souvent en bois. Si celui-ci est rare, elles peuvent être en peau ou en tissu. Ailleurs, elles sont en pierre, en briques ou faites de branchages...

Jeune Indonésienne.

Jeune berger algérien.

Chaleur et pluie

Vite, à l'abri, voilà la pluie.

On s'habille peu, on vit dans des maisons légères...

Chaleur et sécheresse

le désert

la tente

le vent de sable

De longs habits protègent de la chaleur du jour, du froid de la nuit.

... ou très froids

Les températures et les climats varient beaucoup. La mer apporte souvent une agréable douceur sur les côtes. Si l'on vit en altitude, dans les montagnes, il fait plus froid qu'en plaine. Lorsqu'un pays se trouve sur le « ventre » de la Terre, dans les régions autour de l'équateur, les rayons du soleil le frappent très fort : il fait chaud. Mais plus on approche du pôle Nord ou du pôle Sud, plus il fait froid. Il faut s'habiller très chaudement.

Enfants de Mongolie.

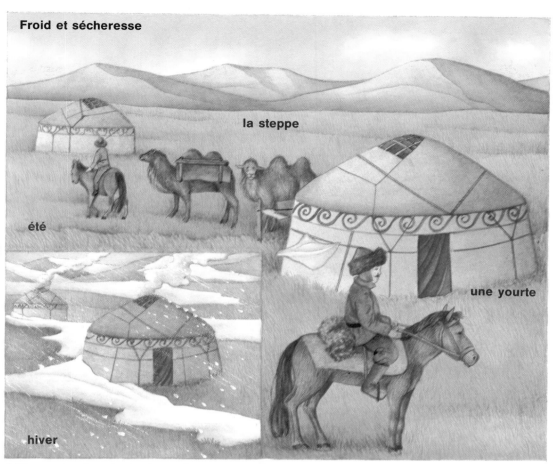

Froid et sécheresse

la steppe

été

une yourte

hiver

Vêtements chauds, tente en feutre ou maison en bois, il faut bien se protéger.

Pour les longues expéditions polaires, plusieurs couches de vêtements protègent bien du froid.

Un été court

le poisson sèche

Grand froid

Des habits très chauds, des maisons en bois... Les tempêtes de neige sont fréquentes dans le Grand Nord canadien, où la belle saison est courte.

Cultiver la Terre

Nous sommes très nombreux sur notre planète, bientôt 6 milliards d'habitants ! Pour nourrir tous les hommes, des agriculteurs cultivent la terre dans le monde entier.

Dans les pays riches, nous voyons peu de gens dans les champs. Les paysans travaillent beaucoup, mais ils utilisent de plus en plus de machines : des tracteurs, des engins qui récoltent les plantes, d'autres qui les transportent, les trient, les lient et rejettent la paille.

Parfois, les grains sont semés par avion ; des hélicoptères déversent des insecticides et des herbicides qui tuent insectes et mauvaises herbes. Mais il faut faire attention : si l'on répand trop de ces produits, des animaux risquent de disparaître, l'eau est polluée, notre santé menacée.

Dans beaucoup d'autres pays, moins riches, les agriculteurs travaillent la terre comme autrefois, avec des outils simples.

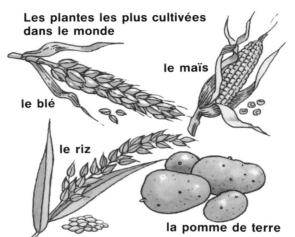

Les fruits
Ils sont pleins de vitamines !

la tomate

le raisin

la pomme

l'ananas

Le chocolat est fait avec des graines de cacao.

Les plantes les plus cultivées dans le monde

le blé

le maïs

le riz

la pomme de terre

Une exploitation moderne : un seul homme, avec son énorme machine, laboure la terre.

La moisson : grâce aux engins, il faut peu d'agriculteurs pour récolter des tonnes de blé.

De très nombreux paysans cultivent la terre. En Asie, par exemple, dans les rizières, on plante les jeunes pousses à la main, puis on récolte le riz avec des faucilles. Dans ces pays, les agriculteurs sont encore des jardiniers.

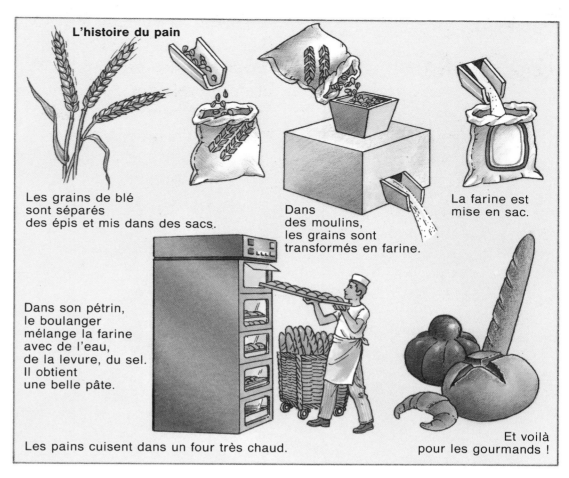

L'histoire du pain

Les grains de blé sont séparés des épis et mis dans des sacs.

Dans des moulins, les grains sont transformés en farine.

La farine est mise en sac.

Dans son pétrin, le boulanger mélange la farine avec de l'eau, de la levure, du sel. Il obtient une belle pâte.

Les pains cuisent dans un four très chaud.

Et voilà pour les gourmands !

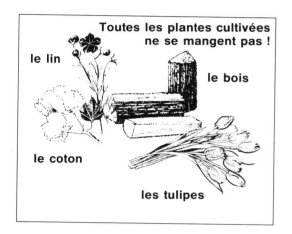

Toutes les plantes cultivées ne se mangent pas !

le lin

le bois

le coton

les tulipes

En Asie, de très nombreux agriculteurs travaillent pour planter et récolter le riz.

Élever des animaux

Que ferions-nous sans les animaux domestiques ? Nous mangeons leur chair, buvons leur lait, utilisons leur laine ou leur cuir.

Dans nos pays, l'élevage des animaux devient de plus en plus industriel. Les bêtes sont rassemblées dans des bâtiments spéciaux où la nourriture est distribuée automatiquement. Les éleveurs surveillent de très près leur santé. Parfois même, l'air est filtré avant de pénétrer dans l'étable ou le poulailler.

Ailleurs, dans certains pays très vastes, d'immenses troupeaux vivent à l'air libre. Des gardiens les surveillent. Ils montent souvent à cheval, comme les cow-boys, mais

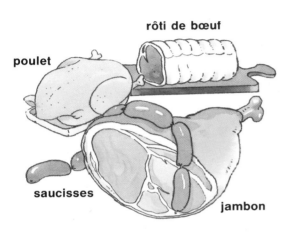

poulet

rôti de bœuf

saucisses

jambon

beurre

yaourt

crème

œufs

lait

fromage

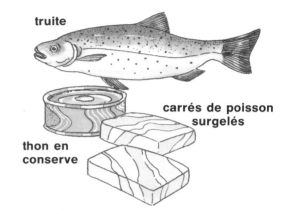

truite

carrés de poisson surgelés

thon en conserve

Les animaux nous donnent de la viande, des œufs et du lait.

Le poisson, c'est bon pour la santé !

Des vaches dans une étable moderne.

Des milliers de poulets dans un immense élevage.

ils utilisent aussi de petits avions et des voitures tout terrain.

Enfin, dans de nombreuses régions du monde, l'élevage ressemble à ce qu'il était autrefois. Poules, cochons ou canards vivent en liberté dans les villages...

Une coiffe d'Indien

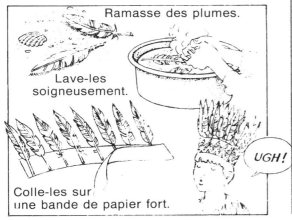

Ramasse des plumes.

Lave-les soigneusement.

Colle-les sur une bande de papier fort.

UGH!

œuf   alevin   poisson adulte

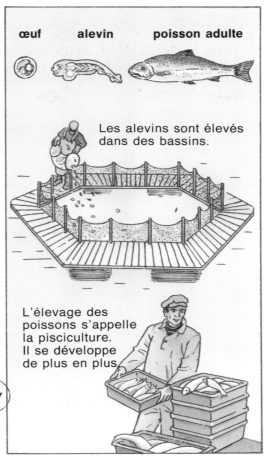

Les alevins sont élevés dans des bassins.

L'élevage des poissons s'appelle la pisciculture. Il se développe de plus en plus.

Des matières très utiles :

la **laine** des moutons

le **cuir** des bovins

les **plumes** des canards

Les cow-boys existent encore en Amérique !

Les animaux dans un village en Afrique.

Exploiter les richesses de la Terre

Nous prenons encore beaucoup de richesses directement dans la nature, comme nos ancêtres de la préhistoire. Mais, nous, nous avons de grands moyens !

Nous pêchons des poissons dans les mers. Nous utilisons l'eau des rivières. Nous creusons le sol pour chercher du pétrole, du charbon, des minerais dont nous tirons du fer, du cuivre, etc.

Toutes ces ressources naturelles sont précieuses. Et il faut faire attention de ne pas les épuiser, car certaines seraient détruites pour toujours. Les réserves de pétrole, par exemple, ne sont pas inépuisables. Même les poissons, si nous les pêchons en trop grande quantité, deviendront de plus en plus rares.

Le moulin à eau

Il te faut : une baguette de bois, un gros bouchon en liège, des planchettes minces (cageot) que tu fixes dans les entailles du bouchon, deux fourches.

ÇA TOURNE !

Cette tour s'appelle un derrick de forage. Grâce à elle, on creuse le sol pour atteindre le pétrole.

Le chalutier quitte le port.

Le barrage retient l'eau. En tombant, l'eau fait tourner une grosse turbine qui produit de l'électricité.

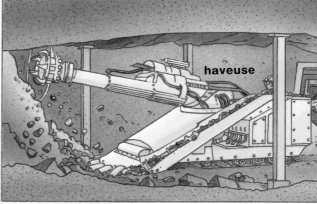

Dans une mine, sous la terre... De grosses machines, les haveuses, arrachent le charbon.

Des géologues cherchent du pétrole.

En mer, les pêcheurs
lancent leur filet, le chalut.

Le filet est hissé à bord, plein de poissons.

Ils sont vendus dès le retour au port.

caisses de poissons

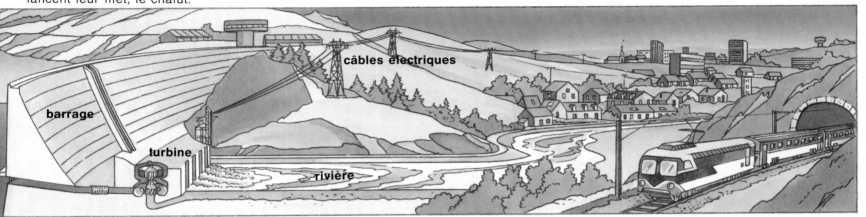

câbles électriques

barrage

turbine

rivière

Des câbles électriques distribuent l'électricité partout. Les villes s'éclairent, les trains roulent...

haut-fourneau

wagonnet

terril

Chargé sur des wagonnets,
le charbon est remonté à la surface.

Le charbon brûle dans un haut-fourneau où l'on fabrique du fer.

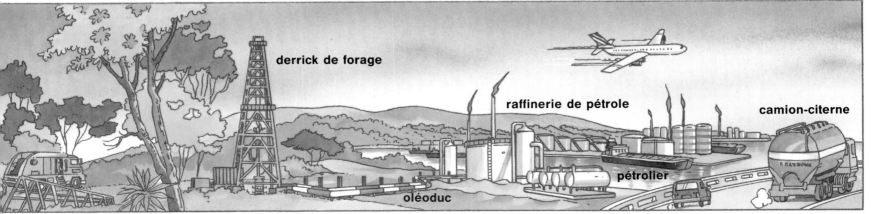

derrick de forage

raffinerie de pétrole

camion-citerne

pétrolier

oléoduc

Le pétrole part du puits à travers de gros tuyaux, les oléoducs, et arrive au port.

Construire des maisons, des gratte-ciel, des routes, des ponts

Les hommes sont vraiment des bâtisseurs. Depuis très longtemps, ils savent dresser de simples abris : des huttes, des cabanes... Aujourd'hui, ils construisent tout : des maisons, bien sûr, mais aussi des immeubles très hauts, des ponts longs de plusieurs kilomètres, des autoroutes géantes...

Nous employons toujours des produits naturels : le bois, la pierre, des briques ou des tuiles en terre cuite. Cependant, de nouveaux matériaux sont de plus en plus utilisés : l'acier, le béton armé, les plastiques, le verre... Voilà pourquoi les maisons et les immeubles modernes se ressemblent souvent d'une région à l'autre, d'un pays à l'autre.

Partout aussi, des usines produisent des éléments préfabriqués. Quand ils arrivent sur les chantiers, ils sont mis en place comme dans un gigantesque jeu de construction.

1. L'**architecte** dessine les plans de la future maison dans ses moindres détails.

2. Des **géomètres** mesurent le terrain sur lequel la maison sera construite.

4. Les **maçons** montent les murs avec des parpaings, des briques et du ciment.

5. Sur la charpente, les **couvreurs** posent les ardoises du toit.

7. Les **électriciens** installent le réseau des fils électriques.

8. Dans la salle de bains, le **carreleur** pose des carreaux de faïence.

10. L'eau propre arrive par de gros tuyaux ; l'eau sale repart par d'autres tuyaux.

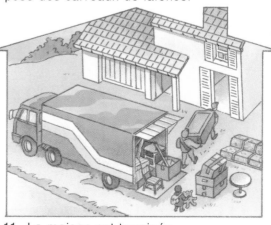

11. La maison est terminée. Toute la famille peut emménager.

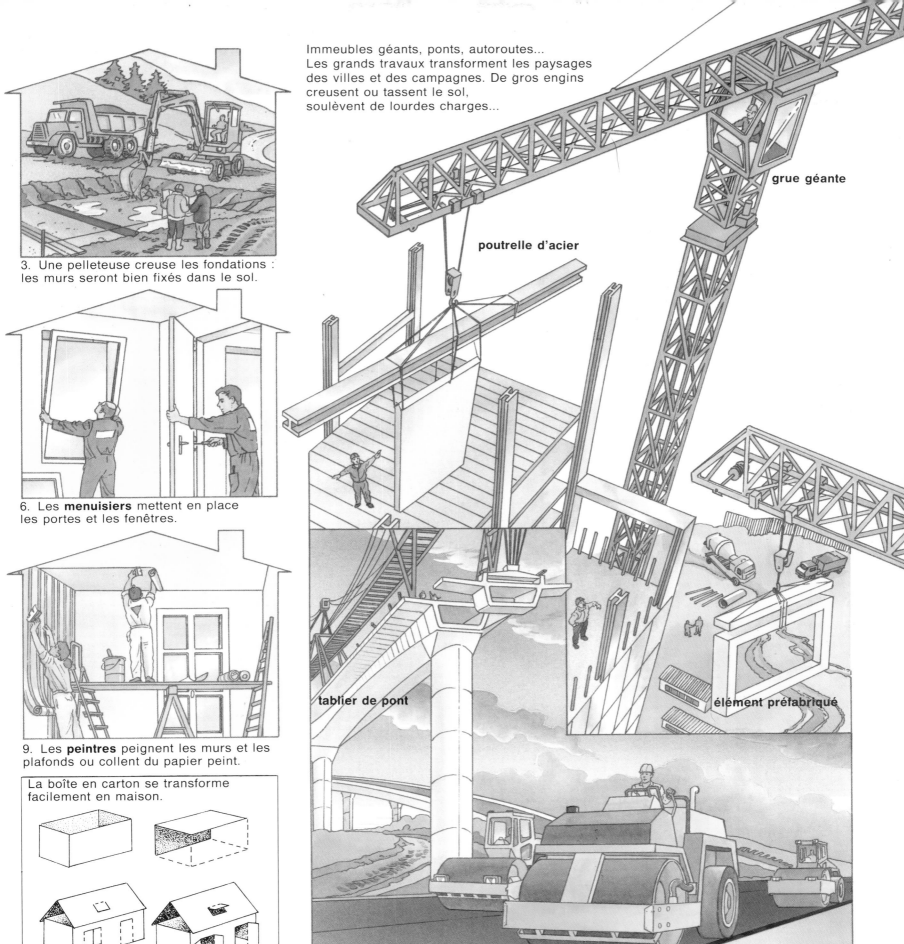

Immeubles géants, ponts, autoroutes...
Les grands travaux transforment les paysages
des villes et des campagnes. De gros engins
creusent ou tassent le sol,
soulèvent de lourdes charges...

grue géante

poutrelle d'acier

3. Une pelleteuse creuse les fondations :
les murs seront bien fixés dans le sol.

6. Les **menuisiers** mettent en place
les portes et les fenêtres.

9. Les **peintres** peignent les murs et les
plafonds ou collent du papier peint.

La boîte en carton se transforme
facilement en maison.

tablier de pont

élément préfabriqué

rouleau compresseur

73

Fabriquer des milliers d'objets

Chaque jour, dans le monde, des milliers d'objets différents sont fabriqués. Les uns sont très simples : une assiette, une balle en mousse, un bonbon, etc. D'autres sont très complexes, car il faut assembler diverses pièces pour les réaliser : une automobile, un poste de télévision, un ordinateur...

Beaucoup d'objets sont encore faits à la main, par des artisans qui travaillent l'argile, le bois, le cuir... Mais la plupart sortent des usines où des ouvrières et des ouvriers, aidés par des machines, les fabriquent en très grand nombre. Dans ces usines, on voit de plus en plus de robots qui soudent, peignent, assemblent les pièces. Ils assurent chacun

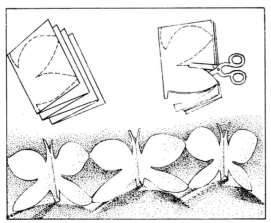

La frise des papillons : un travail délicat pour le découpage et le coloriage.

1. Un technicien crée sur un ordinateur le modèle d'une nouvelle petite voiture.

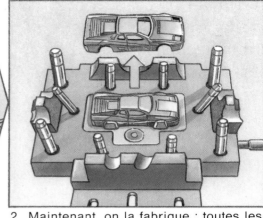

2. Maintenant, on la fabrique : toutes les 5 secondes, une carrosserie sort du moule.

3. Des robots peintres déposent rapidement trois couches de peinture.

4. Dans l'atelier de décoration, des tampons encreurs appliquent des motifs.

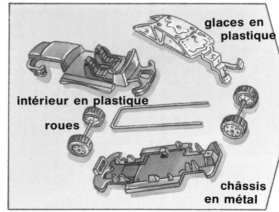

glaces en plastique

intérieur en plastique

roues

châssis en métal

5. Les autres pièces de la future petite voiture sont rassemblées...

6. ... Elles rejoignent la carrosserie dans l'atelier de montage.

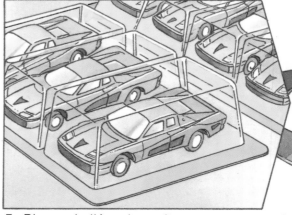

7. Bien emballées, les voitures partent vers les enfants du monde entier.

un travail précis, toujours le même. Les robots ne sont pas « intelligents ». Sans les gens qui les programment, grâce à des ordinateurs, et qui les surveillent, ils seraient inutiles.

Les pays les plus riches sont souvent ceux qui ont de nombreuses usines. Leur production représente une grande richesse. Les pays pauvres, eux, essaient de développer leur industrie. Mais ils ont du mal à se moderniser. Le travail des ouvriers est souvent pénible.

Des machines fabriquent les livres. Elles plient les feuilles, les coupent, les collent, les relient sous une couverture.

Sur son tour, qu'il lance avec ses pieds, cet artisan potier façonne une terre, l'argile. Il cuit ensuite les poteries dans un four très chaud.

Ton livre a été imprimé sur cette longue machine. Les grandes feuilles blanches passent sous quatre rouleaux. Avec trois couleurs (le jaune, le bleu et le rouge) plus le noir, on peut tout reproduire !

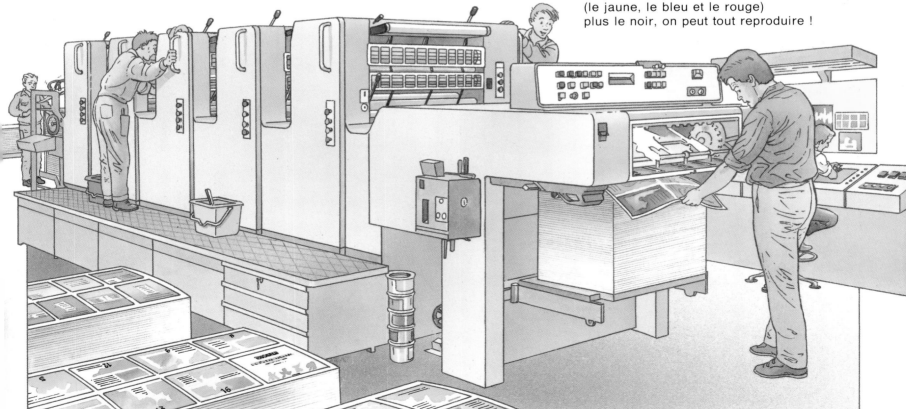

Vendre et faire de la publicité

Les objets fabriqués dans le monde entier, nous voulons parfois les avoir. Pour cela, il faut que des gens les achètent à ceux qui les fabriquent, puis qu'ils nous les vendent.

Mais il faut aussi que nous sachions que ces objets existent, et que nous en ayons besoin ou envie. La publicité est là pour nous le dire et pour créer notre désir d'acheter. Entre l'usine, qui produit des glaces, et toi, qui vas les manger, il se passe beaucoup de choses.

Toute cette grande activité porte le nom de commerce et elle fait travailler des millions de gens à travers le monde. Car elle n'emploie pas seulement les petits commerçants installés près de ta maison ou les vendeurs des grandes surfaces, mais

Pour jouer au marchand et à la marchande, tu peux photocopier des pièces de monnaie, les découper et les coller sur des rondelles de carton.

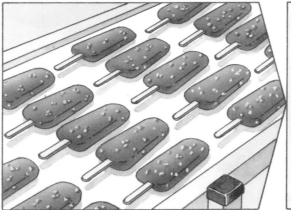

1. De nouvelles glaces viennent d'être fabriquées dans une grande usine.

2. À peine sorties de la chaîne, elles sont gardées dans des chambres froides.

6. Des affiches présentent ce produit.

7. Il décore des casquettes, des fanions.

11. Nous en avons vraiment envie...

12. On peut en acheter partout !

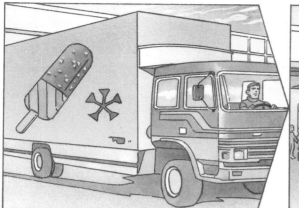

3. Un camion frigorifique les emporte. La chaîne du froid ne doit jamais être coupée.

4. Les glaces sont maintenant déchargées dans les réserves d'une grande surface.

5. Aussitôt, une vendeuse les met en place dans des bacs réfrigérés.

8. Sa publicité passe à la télévision !

9. Elle est imprimée dans les journaux...

10. ... et brille même de mille feux la nuit !

elle fait également vivre les marins des navires marchands, les chauffeurs des camions, les équipages des avions-cargos ou ceux des trains de marchandises...

Ainsi, le commerce unit tous les hommes et tous les pays de la Terre : car on achète des produits français à New York, des produits américains au Japon, etc.

Le petit marchand de glaces sur la plage, la boulangère près de la maison et le grand supermarché vendent la nouvelle glace. Avec toute cette publicité, elle aura du succès. Mais, si elle n'a pas bon goût, tant pis pour elle ! Nous n'en achèterons plus.

On avance doucement

Souvent, nous nous déplaçons en n'utilisant que la force de notre corps ou celle d'un animal : les muscles nous servent de moteur !

À pied, on ne va pas loin, on ne peut pas transporter grand-chose... Mais on a le temps de découvrir les rues de la ville, un nid dans un arbre, un drôle de caillou...

Beaucoup d'habitants de la Terre se déplacent encore grâce à différents animaux. Ils parcourent parfois ainsi de très longues distances. Les dromadaires, les bœufs, les chevaux tirent ou portent de lourdes charges.

La bicyclette silencieuse avance à la force de nos jambes, et la paisible barque muscle nos bras. Quel calme !

À pied vers l'école... ou en promenade.

À bicyclette, on file... ou on se promène calmement.

Que feraient ces paysans sans leur **cheval** ou sans leurs **bœufs** ?

La course en sac : on ne va pas très vite, mais c'est très amusant !

Des **pagaies** pour les **kayaks**.

Des **rames** pour la **barque**

Le berger marche en guidant son troupeau.

L'alpiniste grimpe lentement.

Qui veut faire un tour en **vélo-taxi** ?

Dans de nombreux pays, les bicyclettes sont partout.

Apprendre à « monter », c'est passionnant !

On appelle aussi le **dromadaire** « vaisseau du désert ».

Des **bouteilles d'oxygène** pour pouvoir respirer sous l'eau.

Une **perche** pour lancer la **pirogue**.

De bons moteurs

Le premier de tous les engins
à moteur a été le train.
Dès 1830, ses rails et ses
machines à vapeur se sont
installés un peu partout.
Aujourd'hui, les locomotives
sont souvent électriques.
Les trains permettent
de transporter des charges
extrêmement lourdes et des
centaines de voyageurs.
Le T.G.V., le Train à Grande
Vitesse, est aussi rapide
qu'une voiture de course.

Les automobiles, les motos
et les camions sont apparus
plus tard, il y a un peu plus
de 100 ans. Depuis, toutes
ces machines ont envahi
la Terre. Elles sont équipées
d'un moteur à explosion
— leur bruit s'entend bien,
en effet ! — et certaines
d'entre elles peuvent aller
sur tous les terrains !
Dans les grandes villes, le
métro, un train électrique,
circule sous la terre. Chaque
jour, il accueille de très
nombreux passagers.
Des autobus dans
les villes et des autocars
dans les campagnes
permettent aussi à tout
le monde de se déplacer
facilement.

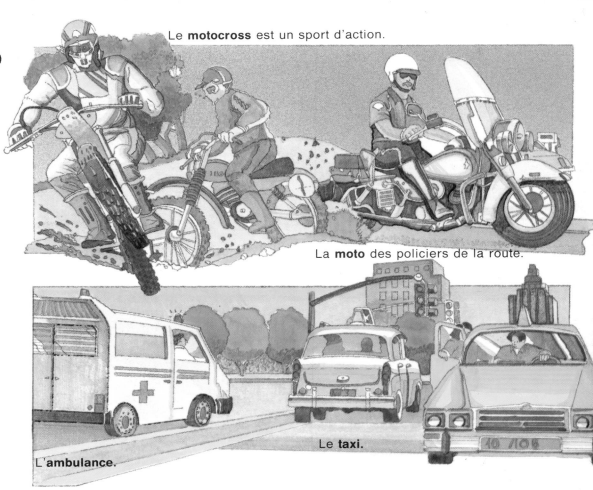

Le **motocross** est un sport d'action.

La **moto** des policiers de la route.

L'**ambulance**.

Le **taxi**.

Un **autobus** à deux étages.

Le **camion des pompiers**.

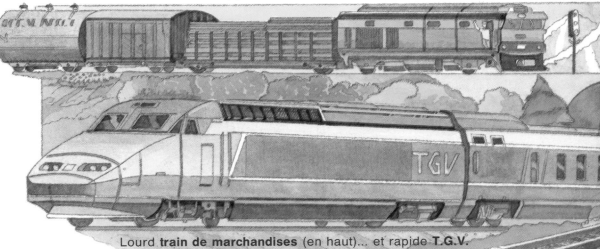

Lourd **train de marchandises** (en haut)... et rapide **T.G.V.**

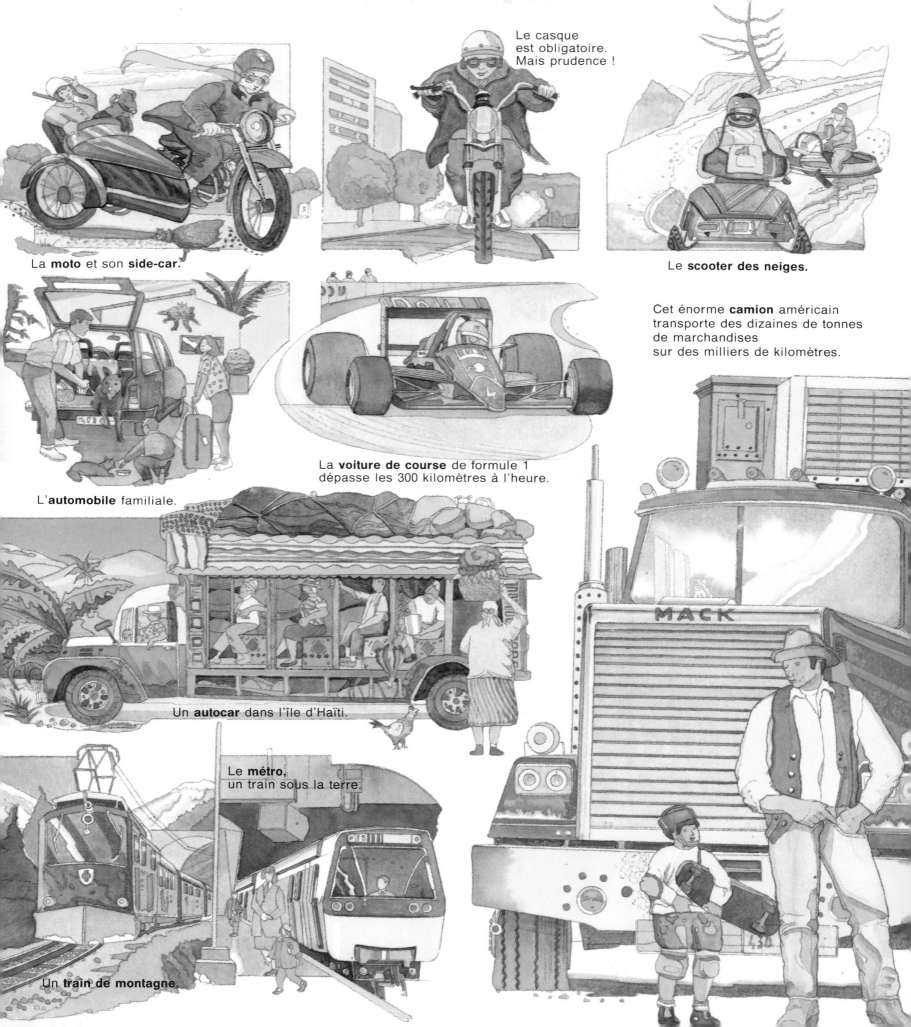

La **moto** et son **side-car**.

Le casque
est obligatoire.
Mais prudence !

Le **scooter des neiges**.

L'**automobile** familiale.

Cet énorme **camion** américain
transporte des dizaines de tonnes
de marchandises
sur des milliers de kilomètres.

La **voiture de course** de formule 1
dépasse les 300 kilomètres à l'heure.

MACK

Un **autocar** dans l'île d'Haïti.

Le **métro**,
un train sous la terre.

Un **train de montagne**.

On flotte

Quel fut le premier bateau ?
Peut-être un tronc d'arbre
sur lequel un homme de
la préhistoire s'est installé
à califourchon pour traverser
une rivière. Soigneusement
creusé, le tronc d'arbre est
devenu pirogue. Depuis,
d'autres bateaux ont été
construits : en bois, bien sûr,
mais aussi en peau, en métal,
en matière plastique...

Pendant très longtemps,
les marins eurent peur
de s'aventurer sur la mer,
de s'éloigner des côtes.
Peu à peu, ils construisirent
de meilleurs navires et mirent
au point des instruments pour
trouver leur route même
au milieu des océans. Ils sont
alors partis vers l'Afrique,
la Chine, l'Inde, l'Amérique.
Ils ont fait le tour du monde.
D'abord à rames et à voile,
puis équipés de moteurs
de plus en plus puissants,
les bateaux ont conquis
toutes les eaux.

Aujourd'hui, ils
transportent des passagers,
des voitures, des
marchandises très lourdes...
Ils partent pêcher près des
côtes ou très loin... Ils
explorent les eaux marines...
Ils nous offrent des loisirs
sportifs ou plus calmes...

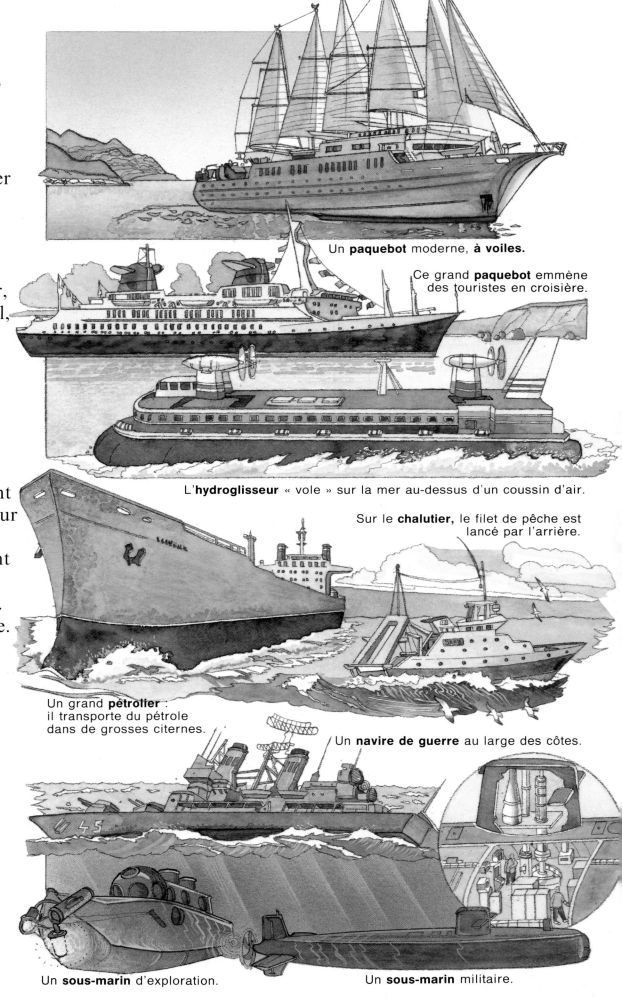

Un **paquebot** moderne, **à voiles.**

Ce grand **paquebot** emmène
des touristes en croisière.

L'**hydroglisseur** « vole » sur la mer au-dessus d'un coussin d'air.

Sur le **chalutier**, le filet de pêche est
lancé par l'arrière.

Un grand **pétrolier** :
il transporte du pétrole
dans de grosses citernes.

Un **navire de guerre** au large des côtes.

Un **sous-marin** d'exploration.

Un **sous-marin** militaire.

Avec ses 2 coques
assez étroites,
ce **catamaran**
a été créé
pour la course.

L'**Optimist** est un petit voilier pour marin débutant.

La **péniche de tourisme** avance doucement
sur les rivières et les canaux.

Une **vedette** rapide.

Les **péniches** emportent jusqu'à 400 tonnes
de sable, de ciment
ou de charbon.

Sur un **cargo porte-conteneurs,**
on charge des caisses métalliques
− les conteneurs − remplies
de marchandises.

Un beau **voilier**
pour faire
le tour du monde !

Le **porte-avions** fait aussi partie
de la flotte de guerre.

On vole

Pendant des milliers d'années, les hommes ont rêvé de voler comme les oiseaux. Mais le premier ballon est parti dans les airs il y a un peu plus de 200 ans seulement, et le premier avion a quitté le sol il y a moins de 100 ans.

Que de progrès depuis ! Tirés par des hélices ou poussés par des réacteurs, d'innombrables engins ont envahi le ciel et les nuages. De gros avions transportent de nombreux passagers chaque jour. Des hélicoptères décollent et se posent partout. Des avions de combat assurent la défense des pays. Planeurs et delta-planes glissent silencieusement dans l'air, sans moteur.

Avec les fusées, nous avons même appris à aller dans l'espace. Là, il n'y a pas d'air et plus de bruit. Les hommes ne peuvent pas y vivre sans protection, à cause des rayonnements mortels.

Pour travailler hors de la cabine, l'astronaute enfile un scaphandre spatial.

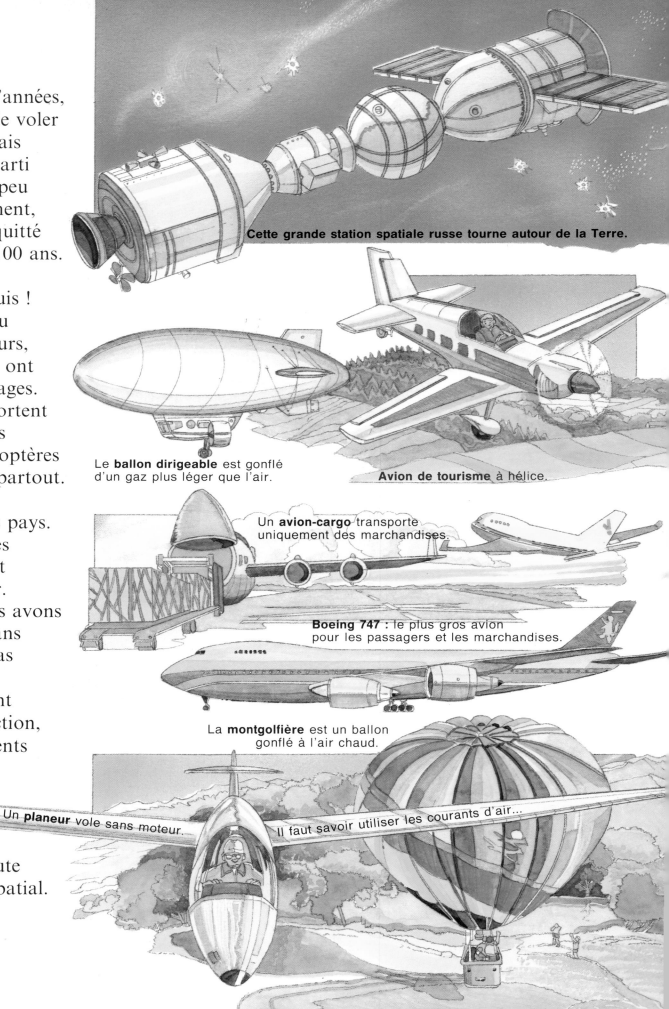

Cette grande station spatiale russe tourne autour de la Terre.

Le **ballon dirigeable** est gonflé d'un gaz plus léger que l'air.

Avion de tourisme à hélice.

Un **avion-cargo** transporte uniquement des marchandises.

Boeing 747 : le plus gros avion pour les passagers et les marchandises.

La **montgolfière** est un ballon gonflé à l'air chaud.

Un **planeur** vole sans moteur. Il faut savoir utiliser les courants d'air...

La navette spatiale américaine peut revenir sur la Terre.

Un astronaute dans son scaphandre.

L'ATR est un avion à hélice qui emmène des passagers sur de moyennes distances.

Hélicoptère.

U.L.M. :
Ultra Léger Motorisé.

Deux **chasseurs,** des avions de combat.

Un **Airbus**
et sa cabine de pilotage.

Le **delta-plane.**

Le **parapente.**

La **fusée** européenne Ariane
lance des satellites.

Mes jouets

Quelques cailloux, une bobine de fil, des brindilles... et le jeu commence. Il suffit souvent, pour s'amuser, d'un rien et surtout d'un peu d'imagination ! Depuis longtemps, le tissu, le bois, le cuir, le papier, le fer se transforment en milliers de jouets. La matière plastique prend aussi toutes les formes, toutes les couleurs.

Bricolés ou achetés, anciens ou modernes, les jouets n'attendent que notre envie de les retrouver. Jeux calmes, jeux de société, déguisements, poupées ou petites voitures, ballons ou billes, cerf-volant ou vaisseau spatial partant vers les étoiles...

En hiver ou en plein été, à l'extérieur ou dans notre chambre, seul ou avec des amis, nous savons que les jeux et les jouets sont toujours au rendez-vous !

Les **poupées russes** en bois peint se cachent les unes dans les autres... et ressortent.

Une **dînette** en métal pour préparer de bons petits plats.

L'**autobus** anglais est amusant avec ses deux étages.

La **voiture** « boîte à sardines ».

La **voiture** en fil de fer : un des jouets inventés par les petits Africains.

La **poupée** écoute toujours ce qu'on lui dit.

Un **dromadaire** d'Afrique du Nord en cuir.

Une **balle** égyptienne en tissu.

Des **poupées** japonaises.

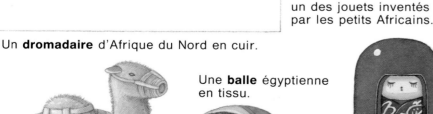

Un **cerf-volant** chinois.

Avec les **jeux de construction,** tout est possible. À nous d'inventer !

Nous sommes tous passionnés par les **jeux électroniques.**

Ce **bulldozer** peut déplacer du sable.

Le super-**vaisseau spatial** traverse l'Univers en une seconde !

Toutes les **toupies** du monde tournent très vite.

De la **pâte à modeler,** et voilà une belle statue !

Ces **voitures** viennent des États-Unis.

Un **bateau radioguidé,** quel rêve !

Pousse l'**oiseau en bois,** il battra des ailes.

Un **chalet en bois** à construire.

Le **monstre en bois** articulé ne fait peur à personne !

Ours, panda... Qui n'aime pas les **peluches ?**

Un **puzzle** à faire et à refaire.

87

Je fais du sport

Courir, grimper, se balancer, ramper, glisser, sauter... Nous aimons tous remuer dans notre chambre, dans une salle de gymnastique, sur un stade ou dans un jardin.

Mais certains sports ont une vieille histoire et des règles très précises. Des professeurs sont là pour nous enseigner, par exemple, l'art du ski, du judo ou de la danse.

Au judo, le sport de combat le plus célèbre, il faut être souple et rapide pour déséquilibrer l'adversaire, le faire tomber. La couleur de la ceinture montre le grade du judoka : elle est blanche pour le débutant, noire pour le champion. Le judo est né au Japon, il y a longtemps.

Du rythme et de la grâce... Danseurs et danseuses doivent avoir à la fois les muscles d'un sportif et l'oreille d'un musicien.

courir

grimper

sauter à cloche-pied

ramper dans le tunnel

avancer à quatre pattes

faire le cochon pendu

sauter à pieds joints

sauter à la corde

marcher sur la poutre

le kimono

le salut

la prise

le tatami

danser

glisser

se balancer au trapèze

marcher
sur la pointe des pieds

grimper
sur la « toile d'araignée »

sauter

faire une galipette

jouer dans l'eau

jouer à saute-mouton

faire la « brouette »

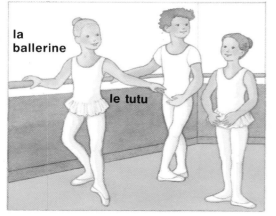

la
ballerine

le tutu

faire de la luge

skier

patiner

On fait un dessin animé

Nous aimons tous les dessins animés. Ils font rêver, rire ou frissonner. Leurs héros nous plaisent tant que nous les croyons vrais.

En fait, ce ne sont que des dessins, des milliers de dessins nés au bout d'un crayon ! Nous reconnaissons la voix de chaque personnage, car c'est toujours le même acteur qui parle pour lui. Et nous savons que notre héros peut voler dans l'espace, s'écrouler au sol, se faire écraser, exploser : il réapparaît en pleine forme quelques instants plus tard.

Pour que le dessin animé soit parfait, magique, sa réalisation demande des mois et des mois de travail à toute une équipe : auteurs, dessinateurs, musiciens..., sans oublier ceux qui filment.

Avec les ombres chinoises, on peut inventer son histoire animée.

1. Tout commence par une histoire. L'auteur décrit chaque détail.

2. L'histoire est découpée en nombreuses scènes qui se suivent.

3. Les dessinateurs créent chacun des personnages. Le dessin animé prend forme.

4. D'autres réalisent les décors : une prairie, une forêt, un château, une rue...

5. Pour donner l'impression que les personnages bougent, il faut réaliser des milliers de dessins. Ils représentent toutes les étapes de leurs mouvements.

le contour

les couleurs

un dessin fini

Sur du film plastique transparent, on dessine et on colorie chaque image.

90

6. Les dessins sont superposés sur un décor fixe. Ensuite, on filme image par image, en changeant les gestes des personnages à chaque image et le fond de temps en temps.

caméra

projecteur

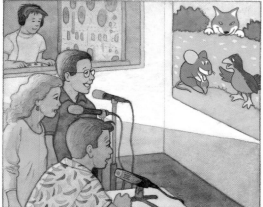

7. On regarde le film. Les images s'enchaînent bien. Il faut s'occuper du son.

8. Les musiciens mettent en musique et les bruiteurs imitent les sons de la vie.

9. Des acteurs prêtent leur voix aux personnages. Ils parlent à leur place.

10. On mélange images, musique, bruitages et paroles : le dessin animé est prêt.

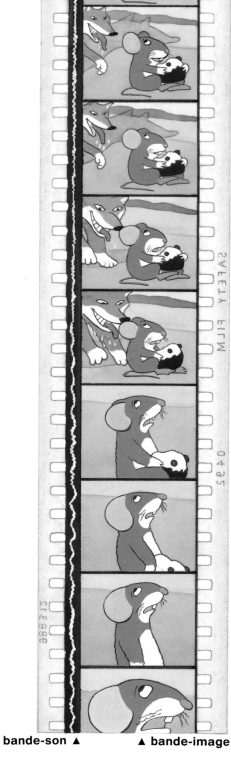

bande-son ▲   **▲ bande-image**

une pellicule du dessin animé enfin terminé

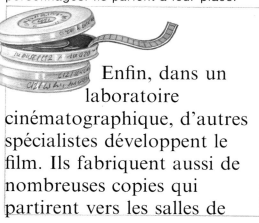

Enfin, dans un laboratoire cinématographique, d'autres spécialistes développent le film. Ils fabriquent aussi de nombreuses copies qui partirent vers les salles de

11. Vite, allons le voir au cinéma !

cinéma ou à la télévision.

Si les personnages bougent bien, si les couleurs sont belles, s'il y a beaucoup de détails, le dessin animé nous plaît ! Et il est parfois tellement drôle !

91

La télévision

La télévision apporte dans chaque maison des images venues de partout. Elle nous fait remonter le temps, imaginer le futur, découvrir les lions ou les abeilles, les cratères de la Lune ou le cœur d'une fleur. On s'amuse et on apprend. Comment ? En appuyant sur un bouton ! Aussitôt, des images prennent vie sur l'écran, des sons traversent les haut-parleurs. Si le programme ne nous plaît pas, nous changeons aussitôt de chaîne : une, deux, trois fois..., nous « zappons » à toute vitesse.

Ces images viennent des studios de télévision, où les films de cinéma sont choisis et où sont préparés les programmes qui sont enregistrés sur les plateaux : variétés, débats, jeux... Parfois, quand un événement se déroule à l'extérieur, il faut aller sur place.

l'antenne

le car vidéo

l'habillage et le maquillage

la caméra vidéo d'amateur

les câbles électriques

le défilé

la perchiste avec son micro et son magnétophone

le cadreur avec sa caméra

Et si l'on imitait les présentateurs de la télévision ?

TV7

les spectateurs prennent des photos en souvenir

Regardez bien le carnaval.
Journalistes et techniciens
enregistrent le défilé
grâce à des caméras, des
magnétophones, un car vidéo.
Dans la régie, le réalisateur
choisit les images et, grâce
à un micro, peut donner
des conseils à ses cadreurs.

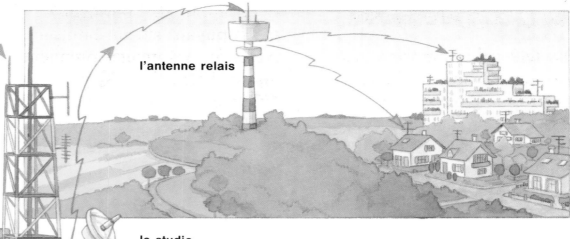

l'antenne relais

la régie

le studio

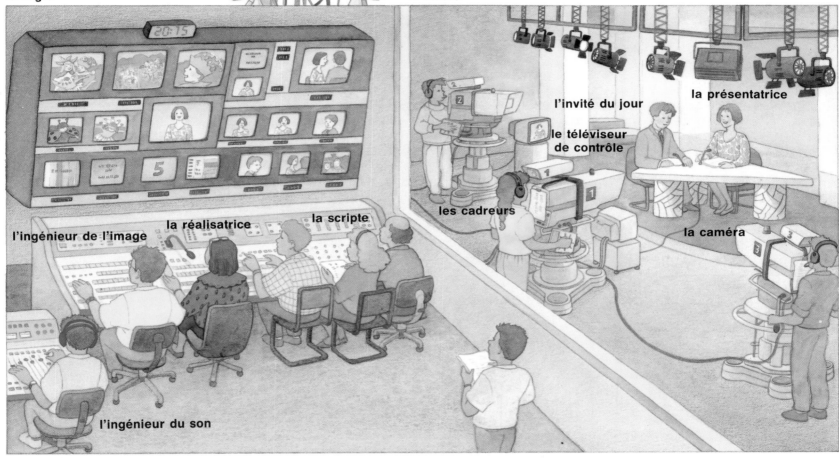

l'invité du jour

la présentatrice

le téléviseur
de contrôle

les cadreurs

la caméra

l'ingénieur de l'image

la réalisatrice

la scripte

l'ingénieur du son

Les ingénieurs de l'image
et du son surveillent aussi
le reportage. Et tout arrive
à l'instant même chez nous.
Car le son et les images sont
transformés en ondes qui
voyagent dans l'air jusqu'aux
antennes. Le téléviseur les
transforme à son tour et
nous pouvons voir et entendre.

Toute la famille peut regarder !

Ma sortie

Un anniversaire, une fête, une bonne note : de belles occasions pour les parents et les enfants de sortir et de s'amuser ensemble. Que vont-ils choisir ? Marionnettes, zoo, cinéma, fête foraine, cirque, goûter avec les amis ? ... Les idées ne manquent pas.

Souvent, on préfère un vrai spectacle, comme le cirque ou les marionnettes. Le célèbre Guignol, depuis très longtemps, se bat avec les méchants et nous fait toujours rire ! Au cirque, les trapézistes nous coupent le souffle ; les tigres et les lions dressés nous font frissonner de peur. Mais voici les clowns : l'Auguste avec son nez rouge, son pantalon très large, ses chaussures trop grandes, l'autre, le clown blanc, au costume scintillant, au visage tout blanc, qui essaie de rester sérieux. L'orchestre fait beaucoup de bruit, mais quelle journée !

Pour la terminer en beauté, qui refuserait un hamburger, dans un restaurant où l'on peut manger avec les doigts ?

Derrière le castelet, les manipulateurs font bouger et parler les marionnettes.

Le projecteur s'allume, les bobines tournent, le film apparaît sur l'écran.

Au zoo, on découvre des animaux de pays lointains ou ceux de chez nous.

Un anniversaire avec tous ses amis, quelle fête !

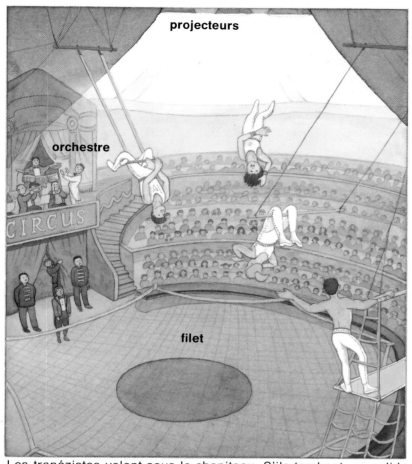

Les trapézistes volent sous le chapiteau. S'ils tombent, un solide filet les retiendra.

Rivière magique, grande roue, manège, pêche à la ligne, barbe à papa, sucettes et bonbons : la fête foraine est un paradis.

Hamburger, frites,
jus de fruits avec une paille !

Une assiette en carton, de la colle, des ciseaux, des feutres, un élastique...

... et voilà un masque !

Direction de la collection Mémo/Jeunesse
Philippe Schuwer

Coordination éditoriale
Odette Dénommée

Secrétariat de rédaction
AMDS

Correction
Annick Valade
Monique Bagaïni
Françoise Moulard

Direction artistique
Gérard Finel
assisté de Nathalie Lemaire

Illustrations de
Amélie Veaux, pages 4 à 7, 12 et 13
Jean-Philippe Duponq, pages 8 à 11, 14 et 15
Anne Bodin, pages 9 en bas, 16 à 21
Chica, pages 22 à 33
Pascale Collange, pages 36 à 47
Catherine et Michel Gran, pages 48 à 59
Frankie Merlier, pages 34 et 35, 60 à 65
Marie-Marthe Collin, pages 66 à 77
Olivier Matouk, pages 78 à 85
Danièle Schultess, pages 86 à 95

Couverture
Gérard Fritsch
dessin de Marie-Marthe Collin

Fabrication
Marlène Delbeken

Photocomposition : SCP Bordeaux.
Photogravure : TECFA Barcelone.
Impression : CLERC S.A.
Saint-Amand-Montrond.
Relié par BRUN S.A. Malesherbes.
Dépôt légal : septembre 1992
N° de série éditeur : 17444
Imprimé en France (Printed in France).
601 214 - Septembre 1993.